NEW
서울대 선정
인문고전
60선

56

슈뢰딩거 생명이란 무엇인가

NEW 서울대 선정 인문 고전 56

만화 슈뢰딩거 생명이란 무엇인가

개정 1판 1쇄 발행 | 2019. 8. 21
개정 1판 3쇄 발행 | 2023. 8. 28

신현정 글 | 박종호 그림 | 손영운 기획

발행처 김영사 | 발행인 고세규
등록번호 제 406-2003-036호 | 등록일자 1979. 5. 17.
주소 경기도 파주시 문발로 197 (우10881)
전화 마케팅부 031-955-3100 | 편집부 031-955-3113~20 | 팩스 031-955-3111

값은 표지에 있습니다.
ISBN 978-89-349-9481-7
ISBN 978-89-349-9425-1(세트)

좋은 독자가 좋은 책을 만듭니다. 김영사는 독자 여러분의 의견에 항상 귀 기울이고 있습니다.
전자우편 book@gimmyoung.com | 홈페이지 www.gimmyoungjr.com

이 도서의 국립중앙도서관 출판예정도서목록(CIP)은 서지정보유통지원시스템 홈페이지(http://seoji.nl.go.kr)와
국가자료종합목록시스템(http://www.nl.go.kr/kolisnet)에서 이용하실 수 있습니다. (CIP제어번호 : CIP2018043087)

어린이제품 안전특별법에 의한 표시사항

제품명 도서 제조년월일 2023년 8월 28일 제조사명 김영사 주소 10881 경기도 파주시 문발로 197
전화번호 031-955-3100 제조국명 대한민국 ⚠주의 책 모서리에 찍히거나 책장에 베이지 않게 조심하세요.

미래의 글로벌 리더들이 꼭 읽어야 할 인문고전을 만화로 만나다

주니어김영사

| 기획에 부쳐 |

〈NEW 서울대 선정 인문고전60〉이 국민 만화책이 되기를 바라며

제가 대여섯 살 때 동네 골목 어귀에 어린이들에게 만화책을 빌려주는 좌판 만화 대여소가 있었습니다. 땅바닥에 두터운 검정 비닐을 깔고 그 위에 아이들이 좋아하는 만화책을 늘어놓았는데, 1원을 내면 낡은 만화책 한 권을 빌릴 수 있었지요. 저는 그곳에서 만화책을 보면서 한글을 깨쳤고 책과의 인연을 맺었습니다.

초등학교 때는 용돈을 아껴서 책을 사서 읽었고, 중학교 때는 학교 도서 반장을 맡아 도서관에서 매일 밤 10시까지 있으면서 참 많은 책을 읽었습니다. 그 무렵 헤밍웨이의 《노인과 바다》를 손에 땀을 쥐며 읽으면서 인생에 대해 고민했고, 헤르만 헤세의 《수레바퀴 아래서》를 읽으며 사춘기의 심란한 마음을 달랬습니다. 김래성의 《청춘 극장》을 밤새워 읽는 바람에 다음 날 치르는 중간고사를 망치기도 했습니다.

당시 저의 꿈은 아주 큰 도서관을 운영하는 사람이 되어 온종일 책을 보면서 책을 쓰는 작가가 되는 것이었습니다. 나이가 들고 어느 정도 바라는 꿈을 이루었습니다. 큰 도서관은 아니지만 적당한 크기의 서점을 운영하고, 글을 쓰는 작가가 되었거든요. 저는 여기에 새로운 꿈을 하나 더 보탰습니다. 그것은 즐거운 마음과 힘찬 꿈을 가지게 해 주고, 나아가 자기 성찰을 도와주는 좋은 만화책을 만드는 일이었습니다. 이렇게 해서 만든 책이 바로 〈서울대 선정 인문고전〉입니다. 서울대학교 교수님들이 신입생과 청소년들이 꼭 읽어야 할 책으로 추천한 도서들 중에서 따로 60권을 골라 만화로 만든 것입니다. 인류 지성사의 금자탑이라고 할 수 있는 고전을 보기 편하고 이해하기 쉽도록 만화책으로 만드는 일은 쉬운 일은 아니었습니다. 약 4년 동안에 수십 명의 학교 선생님들과 전공 학자들이 원서의 내용을 정확하게 전달할 수 있도록 밑글을 쓰고, 수십 명의 만화가들이 고민에 고민을 거듭하면서 만화를 그려 60권의 책을 만들었습니다.

〈서울대 선정 인문고전〉이 완간되었을 무렵에 우리나라에 인문학 읽기 열풍이 불기 시작했습니다. 〈서울대 선정 인문고전〉은 인문학 열풍을 널리 퍼뜨리는 데 한몫을 하면서 독자들의 뜨거운 사랑과 관심을 받았습니다. 덕분에 지금까지 수백만 권이 팔리는 베스트셀러가 되었습니다. 그 사랑에 조금이나마 보답을 하기 위해 《칸트의 실천이성 비판》, 《미셸 푸코의 지식의 고고학》, 《이이의 성학집요》 등 우리가 꼭 읽어야 할 동서양의 고전 10권을 추가하여 만화로 만들었습니다.

〈서울대 선정 인문고전〉은 어린이와 청소년이 부모님과 함께 봐도 좋을 만화책입니다. 국민 배우, 국민 가수가 있듯이 〈서울대 선정 인문고전〉이 '국민 만화책'이 되길 큰마음으로 바랍니다.

손영운

| 글 작가 머리말 |

소박한 질문이 낳은 위대한 생명의 발견

슈뢰딩거를 처음 만난 건 대학교 1학년 일반물리학 수업에서였어요. 원자의 구조를 배우는 단원에서 슈뢰딩거 방정식을 배웠지요. 아니, 배웠다기보다는 그냥 보기만 했다는 표현이 더 정확할 거예요. 이것도 방정식인가 싶을 정도로 이상하게 생긴 식이었죠. 다행히 그 방정식을 풀지 않고 넘어가서 안도의 한숨을 크게 쉬었답니다.

몇 년 후 과학 교육학을 공부하면서 읽을거리를 찾던 중 과학 고전 중에서 흥미로운 제목이 눈에 띄어 책을 집어 들었는데, 그 책이 《생명이란 무엇인가?》였어요. 그런데 저자를 확인하는 순간 정말 깜짝 놀랐어요. 슈뢰딩거였거든요. 노벨 물리학상까지 받은 저명한 물리학자가 생명에 대한 책을 쓰다니, 상상도 못한 일이었지요. 자기가 전공한 분야에 대해서도 공개 강연을 하거나 책을 쓰기가 굉장히 어렵거든요. 그런데 물리학자가 쓴 생물학 책이 70년이 지난 오늘날까지 널리 읽히고 있다니 정말 놀라웠습니다.

슈뢰딩거는 아일랜드 더블린에 있는 대학에 교수로 부임한 후 첫 대중 강연 주제를 '생명이란 무엇인가?'라고 정했어요. 당연히 양자 역학 얘기를 할 줄 알았던 사람들은 뜬금없이 생명을 얘기하는 물리학 교수를 이상하게 쳐다보았지요. 슈뢰딩거는 세상의 모든 분야에 적용되는 우주의 기본 원리를 찾고 싶었고, 이것이 과학자의 참된 목표라고 생각했어요. 하지만 세상에 너무 많은 지식들이 쏟아져 나왔고, 각 전문 분야 사이의 골은 갈수록 깊어졌답니다. 그는 이를 해결하려면 '틀릴 위험을 감수하고 종합하는 시도를 하는 것'이라고 생각했어요. 그리고 과감히 '살아 있는 유기체 안에서 일어나는 일을 물리학으로 어떻게 설명할 수 있을까?'라는 질문을 던졌답니다.

사실 과학 책이 고전으로서 오래 남아 있는 건 드문 일입니다. 끊임없이 새로운 사실이 밝혀지고, 기존의 이론이 수정되기 때문에 과학책은 10년만 지나도 시대에 뒤떨어진 사례들로 가득하기 일쑤지요. 하지만 이 책에는 시대를 뛰어넘는 위대한 가치가 담겨 있답니다. 그건 바로 '탐구(探究)' 정신이에요.

탐구는 '질문'으로 시작합니다. 철학자인 버트런드 러셀(Bertrand Russell)은 '질문이 세상에 대한 관심을 더 많이 불러일으킨다'고 했어요. 슈뢰딩거가 던진 '생명이란 무엇인가?'라는 질문은, 생명 공학이 꽃을 피운 21세기 과학자들에게도 철학적인 탐구를 하게 만드는 힘이 있답니다. 그리고 슈뢰딩거는 '융합'이라는 훌륭한 탐구 방법을 보여 주었습니다. 지식 정보 시대인 지금은 '소통과 융합'이 훨씬 중요해졌습니다. 세상이 무척 많이 복잡해졌거든요.

융합이라는 말은 어린이들도 많이 들어봤을 거예요. 분야를 가리지 않고 서로 협력하고 시야를 넓히면 세상을 설명할 수 있는 창의적이고 재미있는 실마리들이 나타난답니다. 슈뢰딩거처럼 용기를 내어 호기심을 쫓아가세요. 호기심이 가리키는 대로 즐기며 탐구하면 그것이 바로 바로 융합의 시작이랍니다.

신현정

생명을 탐구하는 인간의 무한한 정신

에르빈 슈뢰딩거는 참 흥미로운 사람입니다.

그에게 가장 큰 영향을 끼친 아버지는 식물학에 무척 관심이 깊은 사람이었어요. 슈뢰딩거의 외할아버지는 빈 대학의 화학공학과 교수였고요. 이러한 집안에서 태어났으니 슈뢰딩거가 자라면서 과학에 흥미를 가진 건 아주 자연스러운 일이었을 거예요.

게다가 그가 태어난 오스트리아의 수도 빈은 어떻고요. '신의 입맞춤을 받은 도시'라는 별명답게 빈은 예로부터 음악가 요한 슈트라우스, 모차르트, 베토벤, 바그너, 화가 클림트, 심리학자 프로이트, 극작가 슈테판 츠바이크 등 위대한 천재들이 태어나고 활동한 도시예요. 슈뢰딩거는 나중에 조국을 떠나기는 했지만 이러한 배경 덕분에 틀에 얽매이지 않고 창의적으로 생각하는 과학자가 될 수 있었다고 생각합니다.

이런 말을 들어본 적 있나요?

'전쟁이 나도 글 쓰는 사람은 글을 쓰고, 그림 그리는 사람은 그림을 그린다.'

슈뢰딩거는 전쟁이 나도 과학자로서 연구를 게을리하지 않았어요. 제1차 세계 대전과 제2차 세계 대전을 모두 겪고, 조국을 떠나 전 세계를 떠도는 등 불행한 일들을 겪었지만, 그 모든 일들도 슈뢰딩거의 과학에 향한 탐구 정신을 꺾지 못했죠.

슈뢰딩거가 쓴 《생명이란 무엇인가?》는 그의 과학에 대한 열정이 느껴지는 책이에요. 책을 읽다 보면 저절로 이런 생각이 들 거예요. '사람의 호기심은 끝이 없다'고요. 이 책만 해도 식물학, 물리학, 화학, 회화, 식물학, 고대 문법, 시 등 다양한 분야가 이 책에 어우러져 있습니다. 그야말로 슈뢰딩거의 호기심이 광범위하게 드러나 있는 책인 셈이죠.

이러한 호기심을 바탕으로 그는 나중에 분자생물학의 발달에 지대한 영향을 끼치고, DNA 구조를 발견하는 데도 기여할 수 있었지요.

로켓이 대기권을 벗어나 우주로 나아가려면 엄청난 에너지가 필요하답니다. 뜬금없이 웬 로켓 이야기를 하냐고요? 여러분의 왕성한 호기심과 그 호기심을 해결하기 위해 하나씩 알아가는 과정이 바로 위대한 발견을 하는 에너지가 된다는 걸 말하고 싶어서예요. 호기심을 가지고 세상을 바라보면, 지금 우리가 알고 있는 지식의 범위가 더 넓어질 거예요. 또한 과학이 한걸음 더 발전하게 만드는 결정적인 열쇠가 될 거라고 생각해요.

이 책을 보면서 조금이나마 여러분이 좀더 호기심을 갖고 세상을 바라보는 자극을 받길 바랍니다.

박종호

| 차례 |

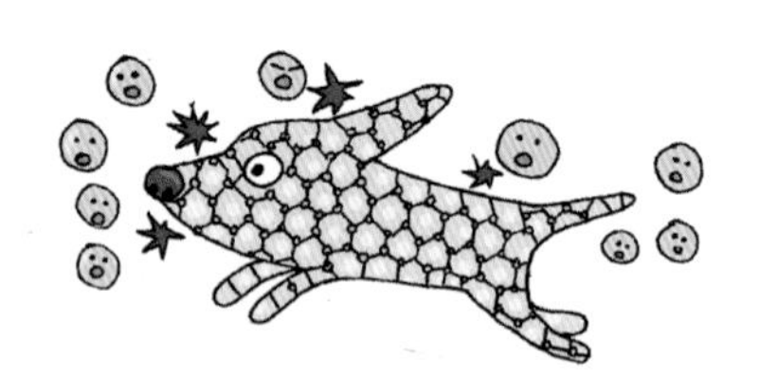

1900년대
막스 플랑크 양자이론
멘델의 법칙 재 발견
드 브리스 돌연변이 논문
연 관 성

1장

《생명이란 무엇인가?》는 어떤 책인가?

그럼 식물의 씨앗이나 곰팡이의 포자처럼 물질대사를 하지 않는 것은 생물이라고 할 수 없을까?

몇 년 묵었어도 땅에 심어 주기만 하면 팔팔해진다니까?

얘들을 무생물로 봐야 할지 생물로 봐야 할지 고민이네.

더우면 땀을 흘려 체온을 유지하는 일 등이 항상성에 해당되지.

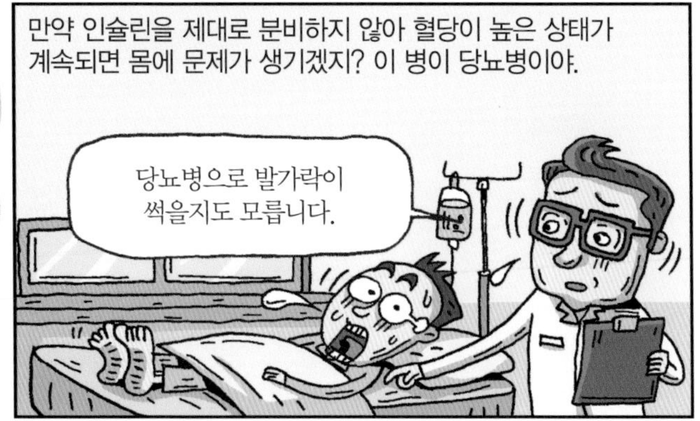

4. 생장, 즉 세포 분열을 통해 세포 수가 증가하면서 자란다.

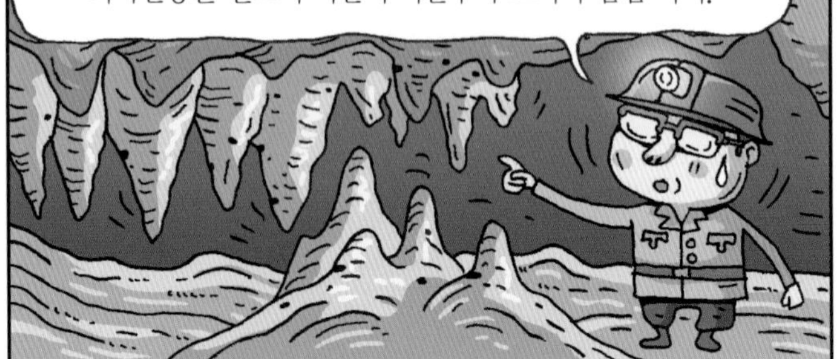

5. 생식 활동으로 부모와 닮은 자손을 낳아 세대를 이어 간다.

씨 없는 수박과 같이 종자 개량을 한 식물의 일부도 종자를 만들 수 없어.

이번엔 바이러스를 예로 들어볼게. 바이러스는 독감을 일으키거나 유행성 결막염, 폐렴 등을 일으키는 아주 작은 미생물이야.

유전 물질이 단백질 껍질에 둘러싸인 형태로 되어 있어서

공기 중에서 물질대사를 하지 않는 결정 상태로 존재하기도 해.

그런데 이들은 생물 내부로 들어가면 완전히 다른 모습을 보인단다.

유전 물질이 단백질 껍질 밖으로 나와 세포 내에 있는 각종 단백질을 이용해 물질대사를 하고, 바이러스 자신을 복제해서 순식간에 번식하거든.

심지어 세포의 핵 안에 있는 정보를 이용하거나 변형시키기도 해.

알면 알수록 생물 고유의 특징을 찾기가 매우 어렵다는 걸 알 수 있지?

그래서 생물학자들은 이렇게 결론을 내렸어.

이 책의 제목이기도 한 '생명이란 무엇인가?'라는 질문에는 단순히 생물의 특징을 설명하는 것 이상의 의미가 담겨 있어.
생명이란 무엇인가?
뭐? 네 정체가 뭐냐?

잠시 주위를 둘러보며 생각해 보자. 똑같이 탄소, 산소, 수소 등의 원자들로 이루어졌는데 왜 나무는 생물이고, 책상은 무생물이라고 할까?
나도 한때는 생물이었는데….

인간과 코끼리의 뇌를 구성하는 신경세포(뉴런)의 구조는 똑같아.

그런데 인간은 어떻게 코끼리보다 훨씬 더 복잡한 사고를 하고 다양한 감정을 느끼고 독특한 사회문화를 만들 수 있을까?

어제까지 나와 얘기를 나누던 친구는 어디로 간 거지?

숨을 쉬지 않는 친구와 나는 무엇이 다른 걸까? 인간은 죽으면 이대로 끝인 걸까?
꾹

영혼은 떠돌아다니는 걸까?

결국 '생명이란 무엇인가?'라는 질문은 인간인 '나'의 근원을 찾고자 하는 욕망과 맞닿아 있어.
나와 돌멩이는 뭐가 다르지?
나는 왜 호랑이와 다르지?
나는 왜 이런 생각을 하고 있지?

오랜 세월 동안 많은 사람들이 이 질문에 대한 답을 찾기 위해 노력을 했지.

어떤 이들은 생명의 신비를 신에게서 찾았고,

어떤 이들은 인간과 사물의 본질 속에서 답을 찾고자 했어.

인류가 이성에 눈뜨기 시작하면서 던진 이 질문으로 인해

신학과 철학이 탄생하고 발전했어.

또한 이 질문은 문학과 예술의 중요한 주제가 되었지.

17세기 무렵부터 사람들은 신비와 사유의 대상이던 생명 현상을 과학적으로 탐구하기 시작했어.

현미경이 등장하면서 생물을 자세히 관찰하는가 하면

죽은 사람을 해부해 인체를 구성하는 기본 기관들이 소나 돼지의 기관들과 유사하다는 것을 밝혀냈지.

과학자들은 다양한 연구와 관찰을 통해 알게 된 생물의 특징을 정리해 나갔어.

화학자 파스퇴르가 당시 신의 저주에 의해 생긴다고 알려졌던 질병이 미생물의 작용에 의해 생긴다는 것을 밝히고,
신의 저주 NO!
파스퇴르(Louis Pasteur, 1822~1895)

질병을 예방하는 백신을 개발한 게 대표적인 예야.
크르릉

1859년에는 다윈이 생물의 진화를 체계적으로 다룬 책 《종의 기원》을 출간했어.
신성모독!!
VS
종의 기원
진화론
창조론
다윈(Charles Robert Darwin, 1809~1882)

다윈의 진화론은 '생명'을 본격적으로 과학의 영역으로 끌어들인 신호탄이 되었어.
진화론
과 학

20세기 초, 진화의 핵심인 유전 물질이 세포의 핵 속에 있는 염색체임이 밝혀지면서
유전 물질이 염색이 잘 되니까 염색체라고 불렀습니다.
세포핵
세포

세포가 분열할 때 염색체의 움직임, 유전의 원리 등을 연구하는 유전학도 급속도로 발전하기 시작했어.
제가 유전학을 연구하는 데 1865년에 발표된 멘델의 유전 법칙이 큰 도움이 됐죠.
멘델(Gregor Mendel, 1822~1884)
드 브리스
멘델의 유전 법칙
드 브리스(Hugo De Vries, 1848~1935)

하지만 여전히 생물학자들은 유전 물질의 정체가 무엇인지,
유전 물질?

유전 물질이 어떻게 생물의 정보를 다음 세대에 전달하는지에 대해서는 밝혀내질 못했어.
유전 물질이란?

일반인에게 '생명'이란 여전히 종교나 철학의 영역에 속할 따름이었지.
생명? 그야 하나님이 주신 거지.
아들이 아빠 닮는 게 뭐가 이상하다고 호들갑이지?

그 무렵, 생명에 대한 새로운 관점을 제시하는 공개 강연이 열렸어.

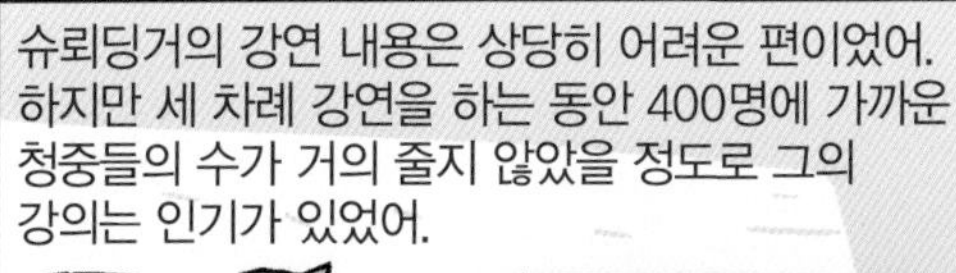

슈뢰딩거는 세 차례의 강연 내용을 정리하여 1944년에 책으로 출간했어.

그 책이 바로
《생명이란 무엇인가?
(What is Life?)》야!

《생명이란 무엇인가?》는
90여 쪽의 얇은 책이지만 과학사에서
차지하는 영향력이 매우 커.

생명이란 무엇인가!

이 두 가지 문제에 대한 제 생각을
간단히 설명해 보죠.

슈뢰딩거가 노벨 물리학상을 받았던 1933년, 노벨 생리·의학상을 받은 유전학자 토머스 모건은
토머스 모건
(Thomas Hunt Morgan,
1866~1945)
유전 현상에서
염색체의 역할을 규명했죠!
노벨상

초파리 실험을 통해 생물체의 정보가 담긴 유전자가 염색체에 있음을 밝혀냈어.
휙
휙
휙

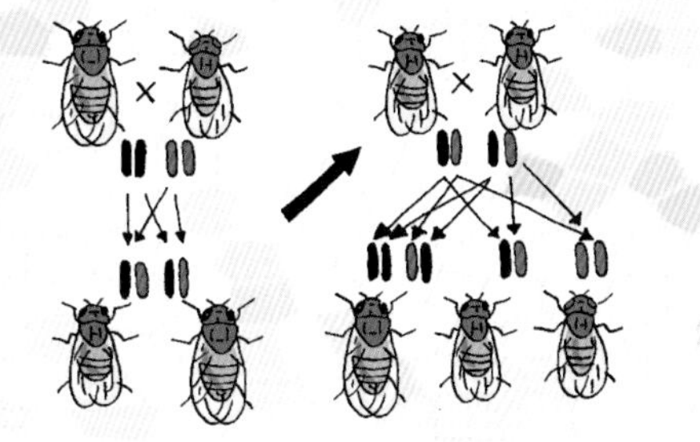
염색체에 있는 유전자들은 연관과 교차를 통해 다양한 형질을 다음 세대로 전하고 있다는 사실을 알아낸 거지.

더 나아가 물리학자 델브뤼크는 유전자의 안정성과 크기를 연구하고
델브뤼크(Max Delbrück,
1906~1981)
가장 큰 유전자라고 해봤자
분자 1000개 정도밖에
안 되겠는걸.

유전자가 그 크기에 비해 놀라운 안정성을 보이는 이유를 설명하려고 했어.
수십 세대를 유전했지만
거의 안 변했네!

슈뢰딩거는 델브뤼크의 연구를 기초로 유전자가 수십 세대를 유전하면서 거의 변하지 않는 이유를 자신의 첫 번째 연구 과제로 삼고,
오호… 이거
흥미로운 주제인데?

델브뤼크의 연구를 찬찬히 따져 보며 그 내용을 검증하려고 노력했어.
이거 내가 했던 얘기에
숟가락만 얹은 거 아냐?
그 숟가락이 엄청
중요하다니까요.

절대 영도, 즉 −273℃보다 높은 온도에서 모든 입자들은 무질서한 열운동을 해.
−273℃

잉크 한 방울을 물에 떨어뜨리면 가만히 두어도 물 전체로 잉크가 번지고,
톡-

방 구석에 향수를 뿌리면 곧 방 전체에 향기가 퍼지는 것도 이와 같은 이유 때문이야.
향수 냄새~
한 방울인데?

시간의 차이는 있지만 결국 모든 물질은 깨지고, 섞이고, 흩어지는데 이를 열역학 제2법칙이라고 한단다.
질서
시간
무질서
열역학적 붕괴가 일어나는 거지.

참 신기하죠. 유전자도 분자로 된 물질일 텐데 복제와 분열을 반복하면서도 변형되지 않고 계속 유전되니까요.

유전자는 도대체 어떤 물질이기에….
초파리 선조…
22대손도 역시 붉은 눈.

슈뢰딩거는 그 이유를 유전 정보가 '암호화'되어 있기 때문이라고 추측했어.
암호화

구조가 단순할수록 안정적이니까, 유전자도 몇 개의 문자만으로 이루어진 암호 형태를 유지하고 있어 안정적이라고 생각한 거지.
모스 부호가 점과 선의 조합만으로 모든 말을 표현할 수 있는 것처럼 말이지.
A B C D E F G H I J K L M
N O P Q R S T U V W X Y Z
띠 띠 띠

또한 유전 물질은 아주 많은 정보를 저장하기 위해서
눈 색깔
머리카락
손톱 모양
코 크기

'비주기적인 결정' 구조일 거라고 추측했지.
주기적인 결정은 안정적이지만 담을 수 있는 정보가 제한적이야.
주기적 결정

유전 물질은 안정적이긴 하지만 아주 드물게 돌연변이가 일어나.
넌 누구냐?
돌연변이

돌연변이는 진화론에서 자연 선택의 전제 조건이 되는 중요한 현상으로
뭐 고를 게 있어야지.
고기엔 송곳니가 제격이지.

돌연변이를 연구하는 학자들은 실험 대상에 일부러 X선을 쬐어 돌연변이를 유발시키기도 하지.
지이잉~
X선

돌연변이는 갑작스럽게 변화하는 특징이 있어.
아니! 우리 아기 눈이 왜 이래?

즉 돌연변이는 점진적으로 변화하지 않는다는 뜻인데,
점진적인 변화란 조금씩 단계적으로 달라지는 거야.

슈뢰딩거는 그 이유를 양자 역학으로 설명하고 있어.
이건 내 전문 분야니까 설명하기가 쉽지!
유전물질
양자 역학

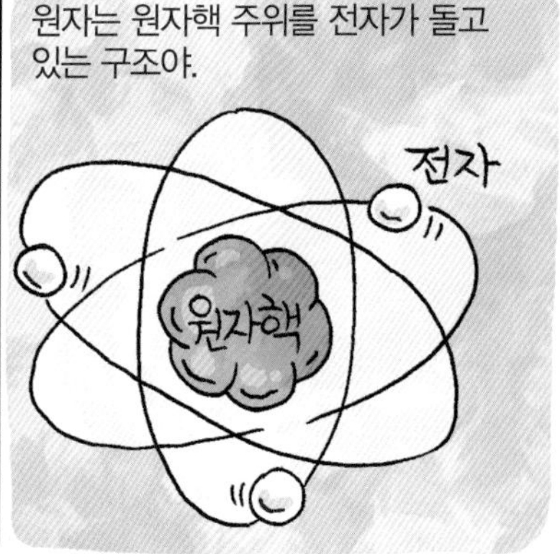
원자는 원자핵 주위를 전자가 돌고 있는 구조야.
전자
원자핵

이때 전자는 원자핵과 가까이 있기도 하고, 멀리 있기도 해.
에너지가 가장 작으면 안정된 상태가 되는데 이때 전자는 핵과 가장 가까운 껍질에 위치해 있지.
원자핵
전자

전자가 가질 수 있는 에너지는 정해져 있단다.
수소 원자의 경우
-2.18×10^{-18} J (바닥상태, $n=1$)
-5.45×10^{-19} J ($n=2$)
-2.42×10^{-19} J ($n=3$)

즉, 전자는 정해진 에너지 사이의 중간 값을 가질 수 없어서
NEVER!
-2.18과 -5.45 사이의
-9.88×10^{-19} J (×)

정해진 에너지의 차이만큼 에너지를 가지고 있어야 다음 상태로 갈 수 있어.

이렇게 불연속적이고 도약적인 변화가 양자들의 특징이지.
양자

양자 역학의 창시자로 불리는 슈뢰딩거에게 돌연변이처럼 생물에게서 일어나는 비약적인 변화는 그리 놀라운 일이 아니었어.
자연이 꼭 연속적으로 변하는 건 아니야.
양자
엄마

다만 '생물체는 어떻게 질서를 유지하는가?'라는 문제는 남게 되지.
줄 맞춰!

이를 설명하기 위해서 19세기 중반에 자연에서 일어나는 변화를 다룬 두 가지 중요한 과학 이론이 등장했어.
물리학
생물학

물리학의 관점으로 자연에서 일어나는 변화를 설명한 대표적인 학자는 볼츠만이야.

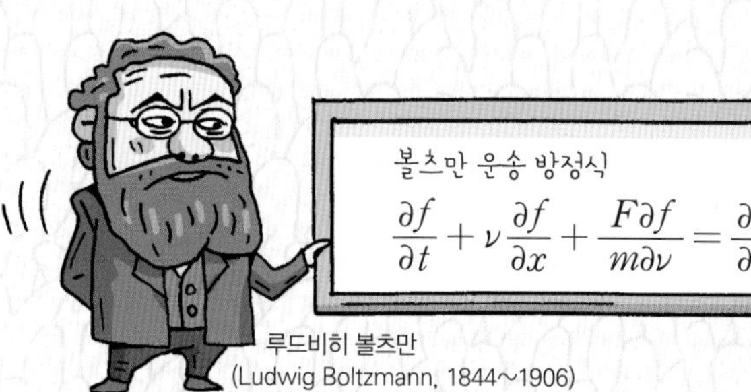

루드비히 볼츠만
(Ludwig Boltzmann, 1844~1906)

볼츠만은 열역학 제2법칙에 따라 시간이 지날수록 자연에 엔트로피(entropy), 즉 무질서도가 증가한다고 주장했어.

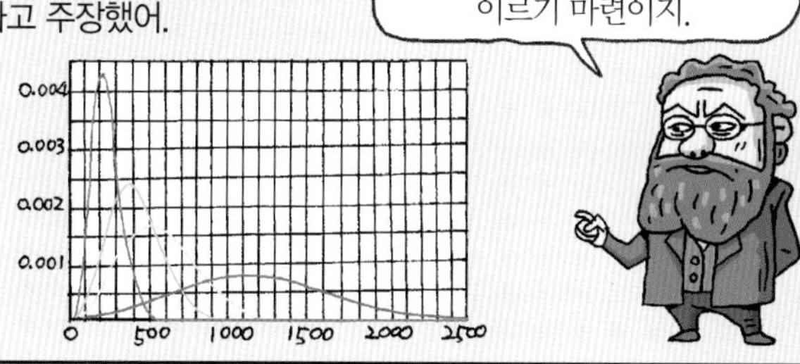

하지만 생물학자인 다윈은 볼츠만의 주장과는 반대로 자연이 변화하고 있다고 생각했어.

찰스 다윈
(Charles Darwin,
1809~1882)

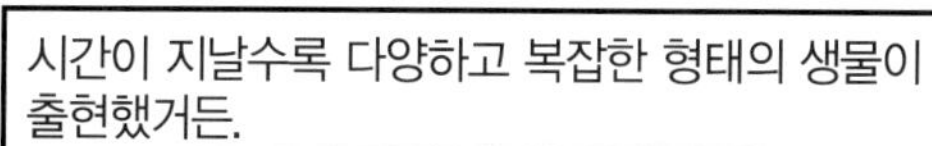
시간이 지날수록 다양하고 복잡한 형태의 생물이 출현했거든.

생물의 한 개체는 시간이 지나면 점점 복잡하게 조직화되는 반면,

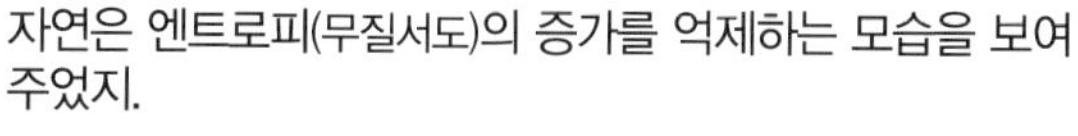
자연은 엔트로피(무질서도)의 증가를 억제하는 모습을 보여 주었지.

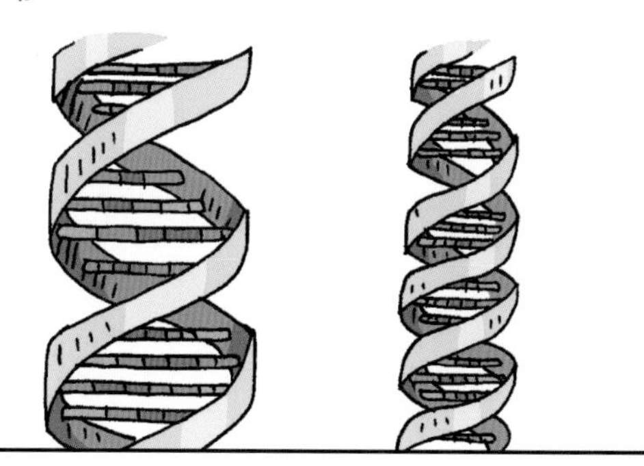

어째서 자연에서는 이렇게 대조적인 변화가 나타나는 걸까? 이 의문이 슈뢰딩거의 두 번째 연구 주제야.

유전 물질뿐만 아니라 각양각색의 분자들이 모여 있는 생물체는 어떻게 구조화된 질서를 유지하는 걸까?

이 문제에 슈뢰딩거는 처음으로 엔트로피 개념을 도입하여 생명 현상을 설명해.

그는 생물들이 '음의 엔트로피(negentropy)'를 먹는다고 주장했어.

물질대사는 환경으로부터 질서를 빨아들이고,

엔트로피를 배출하는 과정이라는 거지.

'음의 엔트로피'라는 개념은 동료 과학자들에게 인정받지 못했지만

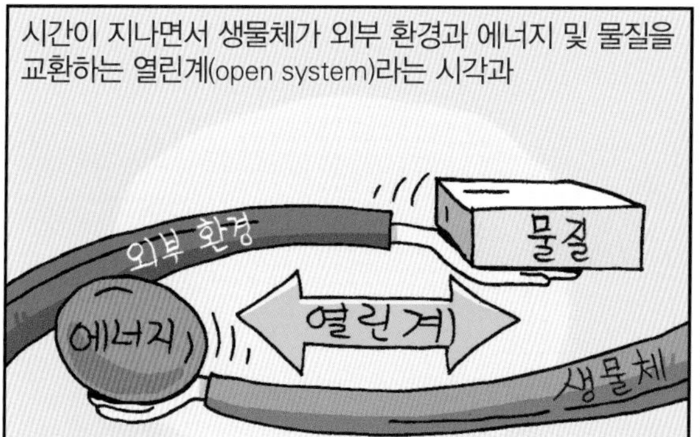
시간이 지나면서 생물체가 외부 환경과 에너지 및 물질을 교환하는 열린계(open system)라는 시각과
외부 환경
물질
에너지
열린계
생물체

'무질서 속의 질서'로 생물계의 열역학을 설명하려는 그의 획기적인 시도는 새롭게 평가받고 있어.
무질서 속의 질서
와아! 와아!

당시 생물학 영역에 갇혀 있던 생명 현상을 물리학 영역에서도 다룰 수 있음을 인정받은 거야.
생물학 생명현상
물리학

물론 슈뢰딩거의 새로운 시도를 비판하는 일부 학자들도 있었지.
황당한 얘기군.

그럼에도 물리학자가 쓴 이 책이 20세기 생물학에서 가장 중요한 책으로 평가받고 있는 이유는 무엇일까?
생물학 부분 베스트셀러
생명이란 무엇인가?
슈뢰딩거

가장 큰 이유는 많은 과학자들에게 영감을 주었다는 거야.
분자 생물학
신경생리학
생물계
복잡계 이론

물리학 이론을 기반으로 한 그의 연구는
유전 물질은 암호 메시지가 담긴 비주기적 결정이다.

프랜시스 크릭을 비롯해 많은 물리학자, 화학자 들을 생물학의 세계로 끌어들였지.
생물학

관심 분야가 비슷했던 크릭과 왓슨은 함께 연구했고, 1953년 DNA 구조를 밝히는 쾌거를 이뤘어.

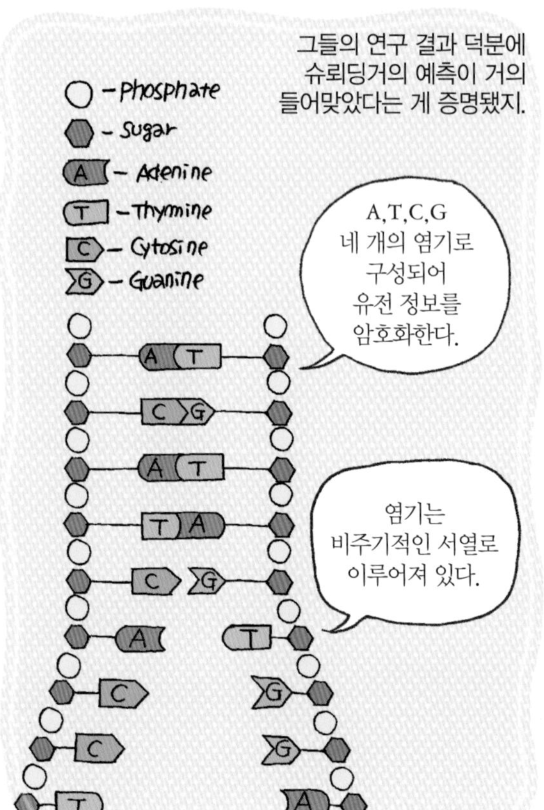

이후 물질대사를 하는 각종 효소 단백질 분자에 대한 연구가 본격적으로 시작되면서 생명 현상에 대한 이해의 폭이 더 넓어졌어.

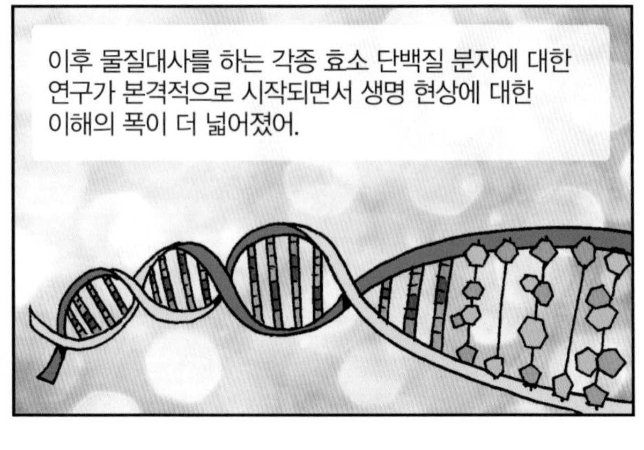

결국 슈뢰딩거의 책이 현대 분자 생물학 확립에 크게 기여한 셈이지.

슈뢰딩거가 생명 연구에 얼마나 큰 영향을 미쳤는지를 보여 주는 단적인 예라고 할 수 있어.

슈뢰딩거는 책 서문에서 자신을 '소박한
물리학자'라고 칭하며 이렇게 얘기하고
있어.

지난 100년간 다양한 지식들이
양과 질 측면에서 발달하면서 세상을
포괄적으로 이해하게 됐다.

그러나 한 개인이 좁은
전문 분야를 넘어서서 지식에
정통하기란 거의 불가능하다.

이 딜레마에서 벗어나는 유일한 길은 누군가 오류를 범할 위험을
감수하고 과감하게 사실과 이론을 종합하는 시도를 감행하는
것뿐이라고 생각한다.

전진!

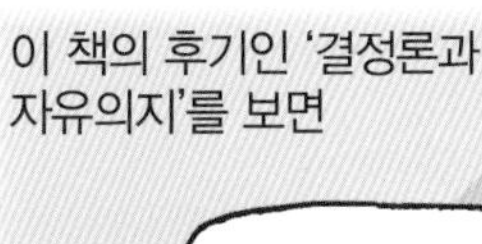
이 책의 후기인 '결정론과 자유의지'를 보면

그는 과학을 넘어 철학에까지 탐구 영역을 확장하고 있어.

훗날 슈뢰딩거는 *《나의 세계관》이라는 철학 책도 썼어.

* 우리나라에서는 《물리학자의 철학적 세계관》이라는 제목으로 출판되었음.

사실 학자가 자신의 전문 분야가 아닌 다른 분야를 논하는 건 조심스러운 일이야.

슈뢰딩거 역시 그런 비판을 의식해서인지 책 곳곳에 조심스럽게 표현을 하지.

그의 용기 있는 탐구 정신은 생명에 대한 통합적이고 다각적인 연구의 기폭제가 되었고

융합과 통섭의 시대라 불리는 오늘날에 이르러 그의 도전은 더욱 빛을 발하고 있어.

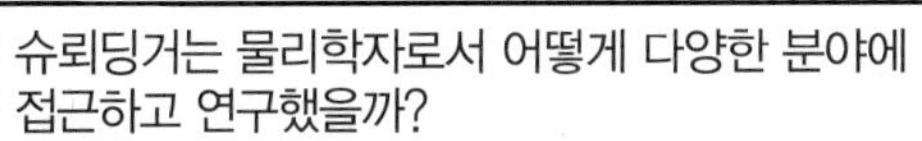
슈뢰딩거는 물리학자로서 어떻게 다양한 분야에 접근하고 연구했을까?

슈뢰딩거의 삶 속으로 들어가 그 비밀을 풀어 보자.

2장
슈뢰딩거는 어떤 사람인가?
슈뢰딩거의 고양이
$\Delta x \Delta p \geq \frac{\hbar}{2}$

훤칠한 이마에 동그란 안경을 쓴, 지적인 외모의 소유자.

쇼펜하우어와 인도 철학에 심취했고,
열반은 순수하고 행복한 앎의 상태이다.

57세에 만난 연인에게 낭만적인 시를 써서 바치는 사람.
시가 사람을 끌어들이는 매력이 있지.
넓은 공간에
아무것도 없는 공간에
우리만이, 오직 우리만이
그리고 우리의 행복이 있음을.
절대 돌아가지 않으리.
너와 함께가 아니라면.

바로 이 사람이
시인?
철학자?
카사노바?

20세기의 과학 혁명을 이끈 물리학자 슈뢰딩거야.
물리학자라고?
Hi

슈뢰딩거의 전기를 쓴 월터 무어는 그에 대해 이렇게 말했어.
현대 물리학의 창시자들 가운데 가장 복잡한 성품을 지닌 인물이다.
내가?

슈뢰딩거는 불의에 맞서 싸우면서도

정치적인 행동을 경멸했어.

거창한 형식을 싫어했지만, 상을 받을 때는 어린애처럼 즐거워했지.
상장
앗싸!
호호

그는 '나와 우주는 하나'라는 고대 인도 철학을 공부했지만 정작 자신은 공동 작업을 회피했어.
내 논문은 모두 단독 저자!
연구도 나 혼자!
절대 출입 금지
슈뢰딩거 연구실

그의 지성은 냉철했지만 열정은 불꽃 같았단다.
연구도 열심! 사랑도 열심!
여보!
아빠!

공공연히 자신이 무신론자임을 강조하면서도
무신론자

종교적 상징을 사용하고,
창조주께서…

과학적 탐구가 신성함을 추구하는 것이라고 여기기도 했어.
듣고 보니 내가 조금 복잡하긴 하군.
가르르르…

하지만 과학과 교육을 향한 진지한 열정만큼은 결코 변치 않았어.
헉
열정
과학
헉

그는 평생 학생들을 가르치고, 대중 강연을 했지.
나는 내가 무엇을 잘하고 좋아하는지 깨닫기 전에 교육자가 되기로 했단다.

세계에 대한 열렬한 호기심으로 물리학뿐만 아니라 생물학, 화학 분야까지 자신의 연구 영역을 넓혔고

틈틈이 쓴 시를 엮어 시집을 내고, 철학 논문집을 출판하기도 했단다.

또한 양자 역학을 확립한 공로로 노벨 물리학상을 받았지.

19세기 후반에 '진화론'이 등장해 세상을 뒤흔들었다면

20세기 전반에는 '양자론'이 과학 혁명을 이끌었다고 할 수 있어.

진화론은 끝없는 논쟁을 불러일으키며 크게 화제가 됐지만

'양자론'은 인간에게 보이지 않는 세계를 다루는 데다

내용이 어려워서 진화론보다 상대적으로 덜 알려져 있어.

하지만 진화론과는 달리 실험으로 증명이 가능했기 때문에

진화론을 증명하기 위해 새로운 종을 단시간에 만들어 낼 순 없잖아.

양자론은 독특한 이론임에도 불구하고,

동시대의 학자들을 끌어들이며 물리학의 판도를 빠르게 바꿨어.

이 과정에서 슈뢰딩거는 파동 방정식을 발견했어.
원자 속 전자의 상태를 설명한 방정식이야. 이것을 알아야 물질을 제대로 다룰 수 있어.
$\hat{H}\psi = i\hbar\frac{\partial}{\partial t}\psi$
파동 방정식

이론적 가정에 불과했던 양자론을 물리학의 중요한 이론인 양자 역학으로 확립시켰지.
양자 역학

에르빈 슈뢰딩거는 1887년 8월 12일 오스트리아의 빈에서 태어났어.
빈
오스트리아

아버지인 루돌프 슈뢰딩거(Rudolf Schrödinger)는 중견 화학 기업을 운영했고,
리놀륨, 방수천 제조
종합 상사

어머니인 게오르기 바우어(Georgine Bauer)는 알렉산더 바우어라는 화학자의 딸이었지.
우리 집이 있던 빌라가 외할아버지 소유였어.

덕분에 슈뢰딩거는 풍족한 환경에서 자연스럽게 과학을 접할 수 있었어.

외아들이었던 그는 가족과 친척들의 사랑을 독차지했지.
아유, 귀여운 우리 조카!

영국인이었던 외할머니에게서 영어를 일찍 배웠고
잉글리쉬~
호호-

어렸을 때부터 이모가 일기 쓰기를 도와준 덕에 평생 일기 쓰기 습관을 유지하며
이래서 글을 잘 쓰게 됐나?
일기

유창한 영어 실력으로 세계의 과학자들과 폭넓은 교류를 할 수 있었지.
프랑스어, 스페인어, 라틴어도 잘했어.

무엇보다 내게 가장 큰 영향을 끼친 사람은 아버지야.

아버지는 나의 친구이자
선생님이었고, 내가 가진 의문을
모두 해결해 주는 분이었지.

슈뢰딩거의 아버지는 미술에 조예가 깊었고, 식물학 책을 썼을 정도로 폭넓은 문화적 소양을 갖춘 분이었어.

아버지의 영향으로 집에는 현미경을 비롯한 식물 연구 장비와 책이 많았어.

학교에 가지 않고 가정 교사에게 교육을 받던 슈뢰딩거가 김나지움(Gymnasium)에 입학한 건 11세 때야.

학교를 무척 좋아했던 그는 특히 수학과 물리학에서 뛰어난 실력을 발휘했단다.

당시 오스트리아 학교에는 종교 수업이 있었는데

이때 그는 처음으로 진화론을 접했지. 학교에서는 진화론을 비판했지만

슈뢰딩거는 식물학에 조예가 깊은 아버지와 많은 대화를 나누며 진화론을 받아들이게 되었다고 해.

1906년 슈뢰딩거는 빈 대학의 물리학과에 입학했어. 도플러, 슈테판, 볼츠만 등 훌륭한 과학자들을 배출한 학과에 들어간 거야.

아쉽게도 슈뢰딩거가 입학하기 몇 달 전에 볼츠만이 세상을 떠나 그의 강의를 직접 듣거나 대화를 나눠 보진 못했지만

볼츠만의 제자인 하젠욀(Friedrich Hasenöhrl) 교수 밑에서 볼츠만의 이론을 전수받을 수 있었어.

볼츠만은 모든 현상이나 법칙들을 통계학적으로 설명하려고 했어.

예를 들어, 실내 온도가 20도라고 하자. 그 안에 있는 공기 분자들은 각각 다양한 열에너지를 가지고 있어. 다만 평균 온도가 20도일 뿐이지. 온도가 올라간다는 것은 높은 에너지를 가진 분자들이 많아진다는 뜻이야.
(맥스웰–볼츠만 분포)

또한 볼츠만은 엔트로피의 개념을 확률과 연결해서 정리했어.

기체 상태인 산소와 수소는 한 공간에서 따로 분리되어 있는 경우보다는 섞여 있는 경우의 수가 아주 많아.

W(경우의 수)값이 클수록 엔트로피(S)도 증가하게 되는데

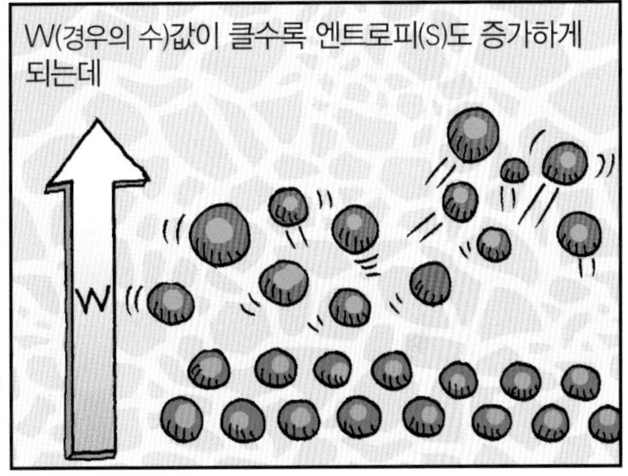

엔트로피가 증가한다는 것은 점점 무질서해진다는 의미야.

자연 상태에서 모든 물질은 점점 무질서해진다는 열역학 제2법칙을 새로 정리한 거지.

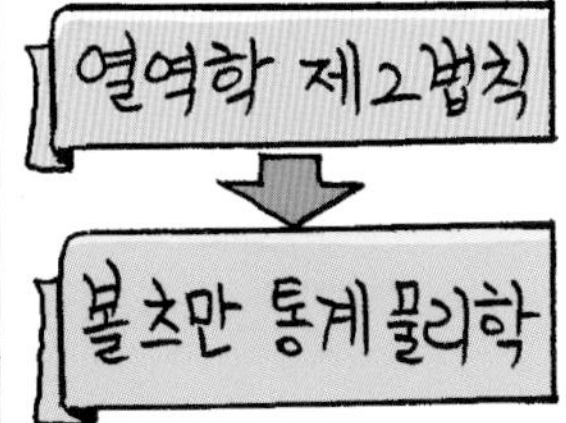

볼츠만의 통계 물리학을 기반으로 다양한 연구를 한 슈뢰딩거는

《생명이란 무엇인가?》에서도 첫 번째 장을 통계 물리학을 설명하는 것으로 시작해.

한편 슈뢰딩거는 대학에서 평생 우정을 나누게 될 소중한 친구를 만나.

둘은 몇 시간씩 철학적 문제에 관해 토론을 벌였고

밤늦도록 거리를 걸으며 삶의 의미를 생각하기도 했어.
산다는 게 뭘까?
우린 뭘 할 수 있을까?

정식으로 생물학을 배운 적이 없었던 슈뢰딩거에게 프렌첼과의 토론은 책을 쓰는 데 많은 도움이 되었을 거야.
생명이란 무엇일까?

그들은 대학을 졸업한 이후로 가끔 편지만 주고받았을 뿐 거의 만나지 못했어.

그래도 슈뢰딩거가 자신의 자서전 첫머리에 언급할 정도로 둘의 우정은 깊었지.
나는 생애의 대부분을 나의 가장 좋은 친구이자 거의 유일한 친구로부터 멀리 떨어져 살았다.

슈뢰딩거는 1910년에 박사 학위를 받고,
이때 박사는 오늘날 석사의 의미!

실험 물리학의 권위자인 엑스너(Franz Serefin Exner) 교수의 지도를 받으며 물리학 실험 조교를 했어.

그는 한창 재미있어야 할 실험이 그의 적성에 맞지 않는다는 것을 이때 알았다고 해.
역시 난 이론 물리학 체질이야.

하지만 이 시기의 경험으로 물리학은 실험에 기반을 두고 있다는 것을 깨달으면서

실험의 중요성을 잘 아는 이론가가 될 수 있었어.
실험이 중요하지.

훌륭한 실험 장비를 이용해 광학과 색채론 연구를 시작한 것도 이 시기야.
약간 색맹이 있군.

지루했던 적도 있었지만, 재미있고 의미 있는 시간이었어.

그 후 슈뢰딩거는 교수 자격을 얻기 위해 논문을 쓰고
어렵다, 어려워.

1914년, 학자로서 첫걸음을 내딛게 되지.
이 논문이 오늘날의 박사 논문인 셈이야.

그해 여름, 제1차 세계 대전이 발발했어.
쾅! 쾅

슈뢰딩거는 포병 장교로 입대하여 이탈리아 전선에 배치되었고 그 공로로 무공 훈장을 받기도 했지만,
쾅 쾅

전장에서 수많은 사람들의 죽음과 고통을 목격하고,
탕 악 탕

존경하던 스승인 하젠욀을 잃고 큰 슬픔에 빠지기도 했어.
아버지를 제외하곤 내게 하젠욀 교수만큼 큰 영향을 준 사람은 없어.
흑흑

그는 총알이 날아다니는 전쟁터에서 틈틈이 논문을 써서 발표하고
이론 연구의 장점은 종이와 펜만 있으면 된다는 것!

철학 책과 과학 학술지를 우편으로 받아 보며 슬픔에서 헤어 나올 수 있었다고 해.
퓽 띵
철학

전쟁 막바지에는 장교 교육 기관에서 기상학 강의도 했지.
전쟁을 물리학적으로

1918년, 전쟁은 끝났지만 슈뢰딩거의 생활은 더욱 어려워졌어. 아버지, 외할아버지, 어머니가 차례로 돌아가시고
흑흑

전쟁 후 아버지가 남긴 재산의 가치는 형편없이 떨어졌거든.
태어나서 처음으로 돈 걱정을 해보네.
빵 만원
책 십만원

그는 집안에 있는 돈이 될 만한 물건을 팔아 겨우 버텨 나갔지.
아버지 서재가 텅텅 비었어.

그리고 생활의 어려움을 잊으려는 듯 색채론 연구에 집중했어.
최대 광도의 물감에 관하여
색채측정 이론기초
슈뢰딩거

그 결과 슈뢰딩거는 색채 이론가로
명성을 얻었고,
세계적인 색채 이론가!
와아~

그가 쓴 색채론 책은 오랫동안
교과서로 활용되었지.
슈뢰딩거 교수님의 책은 최고죠.
색채론
슈뢰딩거

하지만 내가 가야 할 길은 물리학이야.
물리학
색채론

1920년 봄, 슈뢰딩거는 안네마리
베르텔(Annemarie Bertel)과 결혼했어.
안니라고 불러요.

그녀는 비록 정식 교육을 많이 받진
못했지만
그 시절에 여자가 제대로 교육 받기란 하늘의 별따기였어.

성격이 활발하고 다정했으며
무엇보다 슈뢰딩거를 열정적으로
존경했단다.
우리 남편은 똑똑하고, 잘생겼고, 말도 잘하고, 유명하고….
남편 자랑

또한 남편에 대한 깊은 존경과 사랑으로 41년 동안
변함없이 그의 곁을 지켰지.
극심한 우울증으로 정기적인 병원 치료도 받고, 아이도 없었어요. 고달픈 결혼 생활이긴 했지요.

대학을 옮겨다니며 강사로 지내던 슈뢰딩거는 1921년 스위스의
취리히 공과대학 물리학 교수로 자리 잡게 되었어.
교수로 뽑은 이유
역학, 광학, 모세관학, 전기전도, 자기, 방사성, 중력이론, 음향학 등의 분야에서 슈뢰딩거는 다재다능함을 보여 준다. 그는 생물학과 학생들이 요구했던 생물측정학 강의도 할 수 있을 것이다.

아인슈타인처럼 기라성 같은 학자들을 교수로 임용한
최고의 대학이, 아직 업적이 없는 슈뢰딩거를 선택한 건
놀라운 일이었지.
힘내자. 이제 시작이다!

믿음에 보답이라도 하듯이
취리히 공대에 재직했던 6년간
그는 최고의 연구 기량과
창의력을 발휘했어.
물리학계의 핫이슈인 양자론을 본격적으로 연구해 보자.

1925년은 슈뢰딩거에게
기적의 해였어.
파동 역학을 발견했다!
앗싸!

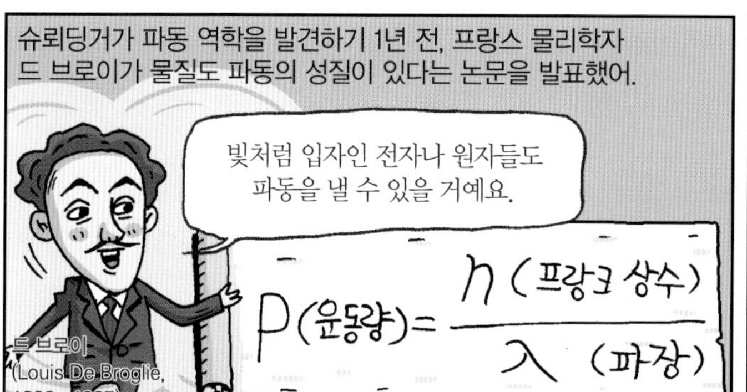

드 브로이 (Louis De Broglie, 1892~1987)

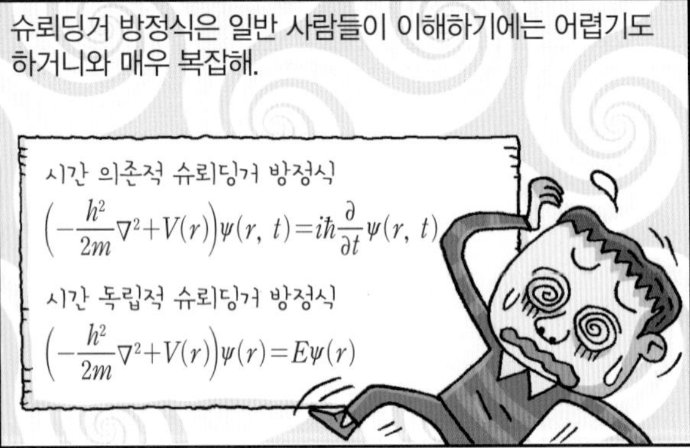

슈뢰딩거 방정식을 기초로 한 논문이 1960년대까지 10만 편을 넘을 정도였지.

재미있는 사실은 슈뢰딩거는 정작 본인이 만든 방정식을 제대로 이해하지 못했다는 점이야.

특정 에너지를 갖는 전자의 파동이지. 아닌가?

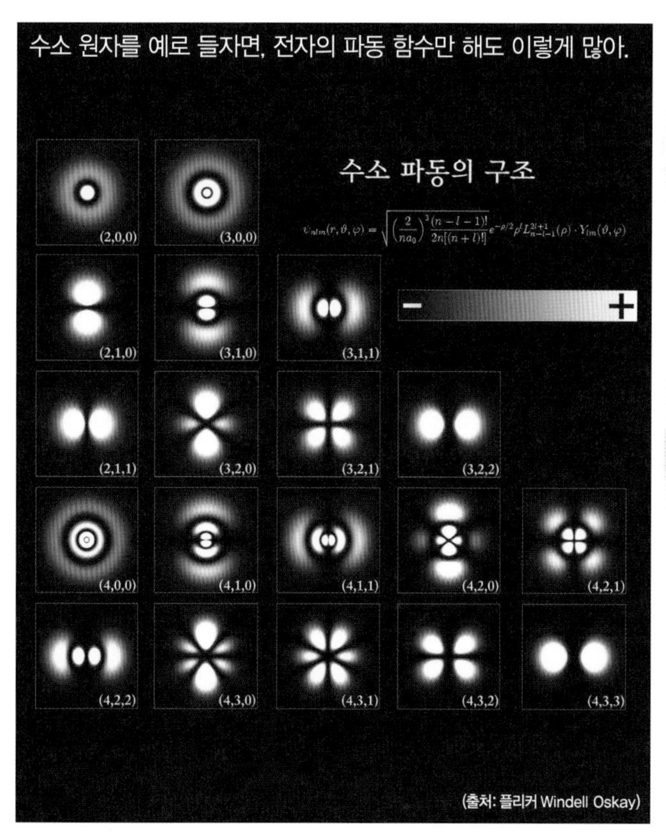
수소 원자를 예로 들자면, 전자의 파동 함수만 해도 이렇게 많아.
수소 파동의 구조
(2,0,0)
(3,0,0)
(2,1,0)
(3,1,0)
(3,1,1)
(2,1,1)
(3,2,0)
(3,2,1)
(3,2,2)
(4,0,0)
(4,1,0)
(4,1,1)
(4,2,0)
(4,2,1)
(4,2,2)
(4,3,0)
(4,3,1)
(4,3,2)
(4,3,3)
(출처: 플리커 Windell Oskay)

이를 바탕으로 막스 보른은 파동 함수가 확률적이라고 해석했어.
파동 함수는 전자가 어떤 에너지를 가질 확률인 것 같은데?
막스 보른 (Max Born, 1882~1970)
전자가 ε_1의 에너지를 가질 확률은 ψ_1, 전자가 ε_2의 에너지를 가질 확률은 ψ_2이다.

1927년에 열린 솔베이 국제학회에서는 이 주제로 격렬한 논쟁이 벌어졌지.
파동 함수도 결국 확률적 통계다!
말도 안 돼. 신은 주사위 놀이를 하지 않는다!
보어, 보른, 하이젠베르크
아인슈타인, 슈뢰딩거

논쟁은 꽤 오랫동안 지속되었는데

결국 보어가 이끄는 코펜하겐 연구소가 주축이 되어 주장한 파동 함수의 확률적 해석이 주류로 자리 잡게 되었어.
관찰하기 전까지는 전자가 여러 가지 다른 상태로 중첩된 채로 있다.

슈뢰딩거는 코펜하겐 연구소의 이상한 해석에 훗날 유명해진 하나의 사고 실험을 제안했어.
흥, 그게 말이 돼?
냐옹~

고양이 한 마리가 쇠로 만든 상자 안에 갇혀 있다고 하자. 그 옆에는 독가스와 방사능을 측정하는 가이거 계수기가 있어.

만일 방사성 원자가 붕괴할 경우 계수기가 반응하고 망치가 떨어져 독가스가 든 유리병이 깨질 거야.

한 시간 후 고양이는 어떤 상태가 될까?

살아 있는 상태와 죽어 있는 상태가 동시에 존재하는 중첩 상태가 될 거야. 상자를 열어 보면 그 상태가 결정되겠지.

보어

어처구니가 없군. 관찰을 하든 말든 고양이는 죽어 있거나 살아 있겠지.

다양한 해석이 등장하긴 했지만 오늘날엔 코펜하겐 학파의 해석을 일반적으로 받아들이고 있어.

슈뢰딩거는 끝내 파동 함수의 확률적 해석을 받아들이지 못하고 양자 역학에서 차츰 멀어졌어.

그 후 슈뢰딩거는 독일 최고의 대학인 베를린 대학 교수로 부임했어.
늘 선망하던 곳이야.

1933년 노벨 물리학상을 받은 뒤로는 전 세계로 강연을 다니는 등 바쁜 나날을 보냈지.
바쁘다. 바빠.

하지만 독일에서 나치가 정권을 잡으면서 사회가 흉흉해졌고

그는 길거리에서 유대인을 아무 이유 없이 때리는 나치 당원들에게 항의하다 봉변을 당할 뻔했어.
그만둬!

또한 대놓고 나치를 비판하는 아인슈타인의 제명에 동조하지 않았다는 이유로 슈뢰딩거는 독일 정부의 요주의 인물이 되었어.
잘 감시하도록!

실망한 슈뢰딩거는 독일을 떠나 영국, 오스트리아, 미국, 스페인, 독일, 다시 영국으로 떠돌아다녔지.
독일

유대인이 아닌 학자가 스스로 독일을 떠난 건 굉장히 드문 경우야.
도저히 두고 볼 수 있어야지.

영국에 머물 때, 첫 딸이 태어났어. 그런데 아이의 친엄마는 키울 사정이 안 됐어.
46세에 드디어 첫 딸이 생겼어.

안니는 자기가 낳은 자식은 아니었지만 친부모의 마음으로 아이를 정성을 다해 키웠단다.
사랑한다.

1943년 슈뢰딩거 가족은 아일랜드의 수도 더블린에 정착했어.
새로 설립된 고등과학연구소 이론 물리학 책임자를 맡아주시오.
에몬 드 발레라 (Eamonn de Valera)

아일랜드에 사는 14년 동안 그는 전쟁도 잊을 수 있었지.
부끄러울 정도로 평화로운 시절이었어.

대중 앞에서 강연을 처음 한 것도 이 시기로

그때 강의 주제가 바로 《생명이란 무엇인가?》였단다.
생명이란 무엇인가?
슈뢰딩거

아버지와 친구 프렌첼의 영향으로 다양한 영역을 넘나들며 열변을 하는 그의 강의에
생물학
철학

청중이 많이 몰려 그는 같은 강의를 두 번씩 해야 할 정도였지.
똑같은 걸 두 번 말하려니 힘드네.

'기존의 물리 법칙'을 넘어서는 '새로운 법칙'이 필요합니다.
하지만 그 새로운 법칙이 자연 법칙을 넘어서진 않을 겁니다.

그가 강연에서 말한 것처럼 머지않아 새로운 법칙이 발견될 거라는 기대가 커지면서
척
생명이란 무엇인가?

많은 학자들이 유전학 연구에 뛰어들었어.
뭔가 굉장한 게 있을 것 같은데?
내가 먼저 발견할 거야!

《생명이란 무엇인가?》라는 책이 없었더라도 분자 생물학은 발전했을 거야.
유전자 연구가 이미 상당히 진행되고 있었거든.
델브뤼크
모건

하지만 그 발전 속도는 지금보다 느렸을 것이고,
뭔가 신선한 아이디어가 필요해.
끼익-
끼익-

분자 생물학 분야에서 명성을 떨친 과학자들 중 몇 명은 다른 길로 갔겠지.

생명이란 무엇인가?
제임스 왓슨
프랜시스 크릭
시모어 벤저
모리스 윌킨스

과학사를 통틀어 짧은 과학 교양서 한 권이 이처럼 결정적인 영향을 끼친 예는 찾아볼 수 없죠.
월터 무어 (슈뢰딩거 전기 작가)
생명 이란 무엇인가?
와아
와아

나중에 슈뢰딩거가 가장 몰두했던 연구는 '통일장 이론'이야.

통일장 이론은 중력과 전자기 문제, 양자 역학 등 모든 물리 법칙을 설명할 이론으로,

그는 자신이 통일장 이론을 완성하지 못할 것임을 알면서도 그 과정을 즐겼다고 해.

그리고 56세에 둘째 딸을 얻었어.

제2차 세계 대전이 끝나고 그는 마침내 빈 대학에 돌아왔지만

건강이 악화되어 1961년, 73세의 나이로 세상을 떠났단다.

슈뢰딩거는 평생 자신이 사는 세계에 대해 조금 더 알려고 노력했고, 그 과정과 성취를 즐겼지.

그가 40세 생일에 직접 쓴 비문(碑文)을 보면 그가 어떠한 생각으로 살아왔는지를 잘 알 수 있어.

* 지품천사: 가톨릭에서 구품천사 가운데 2위인 천사. 숭고한 지혜를 가졌다고 한다.

삶을 사랑하고 즐길 줄 알았던 슈뢰딩거.

그가 얘기하는 생명이란 무엇일까?

슈뢰딩거의 유명한 강연을 들으러 같이 1943년으로 가볼까?

<공고문>
주제: 생명이란 무엇인가?
강연자: 에르빈 슈뢰딩거
장소: 트리니티 대학 대강당

3장 생명에 대한 고전 물리학자의 접근

처음 강의를 했던 강단에 다시 서니 떨리는구나.

인간의 DNA 염기 서열이 다 밝혀진 시대에 1943년도의 강의록을 들고 있으려니 더욱 떨리는 것 같아.

그런데 70년이 지난 21세기에도 여전히 내 책이 널리 읽히고 있다며?

그 이유가 무엇일지 잘 생각해 봐.

흔히 과학자들은 자신이 잘 아는 전공 분야에 대해서만 말하려고 해.

난 그런 관성에서 벗어나려고 노력했지.
뻥!
양자역학

지난 100년간 지식은 다양한 분야에서 놀랍게 발전했어.
진화론, 유전학, 양자역학, 방사선

그러다 보니 개인이 한 분야 이외의 지식에 정통하기는 더욱 어려워졌지.

내 전공 분야만 평생 공부해도 시간이 모자랄 판이야.
알아야 할 게 정말 많아졌어.

최고의 교육 기관인 대학(University)이 '일반적인, 보편적인, 통일된'이라는 의미를 가지는 것처럼
University
=
일반적인, 보편적인, 통일된

인류는 세계를 아우르는 보편적이고 통일된 원리를 끊임없이 탐구해 왔어.

이제 지금까지 알게 된 그 많은 지식을 짜 맞추기만 하면 되는데 아무도 나서지 못하는 게 아닐까?
다른 분야는 잘 모른다니까.

이 딜레마에서 벗어나려면 누군가 과감히 틀릴 각오를 하고
제대로 잘 알지도 못하면서….
그럴지도 모르죠. 하지만!

이론을 종합하는 시도를 해야 해.
끼릭
끼릭

물론 혼자서 할 수 있는 일은 아니야.

하지만 누군가가 이러한 시도를 한다면 수많은 사람들을 자극해서 협업으로 이어질 수 있겠지?

내가 대중 강연에 나서 보다 많은 사람들에게 알리려고 한 이유도 여기에 있어.
생명이란 무엇인가?
솔깃
?

강의에 물리학에서나 쓰는 복잡한 수학을 거의 사용하지는 않겠지만 분명 대중이 이해하기는 어려운 내용일 거야.
?
?

물론 물리학과 생물학을 넘나드는 근본적인 생각을 양쪽 분야의 과학자들에게 분명하게 전달하려는 의도도 있지.
물리학
생물학

내가 대중과 과학자들에게 전하고 싶은 가장 중요한 질문은
?

'살아 있는 유기체, 즉 생명체를 물리학과 화학으로 어떻게 설명할 수 있을까?' 하는 거지.
이 새는 물리학적으로….

현재의 물리학과 화학은 이 질문에 제대로 대답하지 못하고 있어.
지금 못한다고 해서 앞으로도 그러리라는 법은 없지.

그 이유가 뭘까?

유기체의 가장 핵심적인 부분은 염색체인데, 그 속에 있는 원자들의 배열과 상호작용은
염색체
세포핵
세포

물리학이나 화학에서 다뤄 왔던 원자들의 배열과 근본적으로 다르기 때문이야.
똑같이 원자로 되어 있는데요?

통계적인 관점에서 보면 전혀 다르다는 거야.

하하, 어렵다고 벌써부터 긴장할 필요는 없어.
NO

설명을 쉽게 하기 위해서 미리 결론부터 얘기하자면,

'살아 있는 세포의 염색체는 비주기적 결정(aperiodic crystal)일 것'이라는 거야.

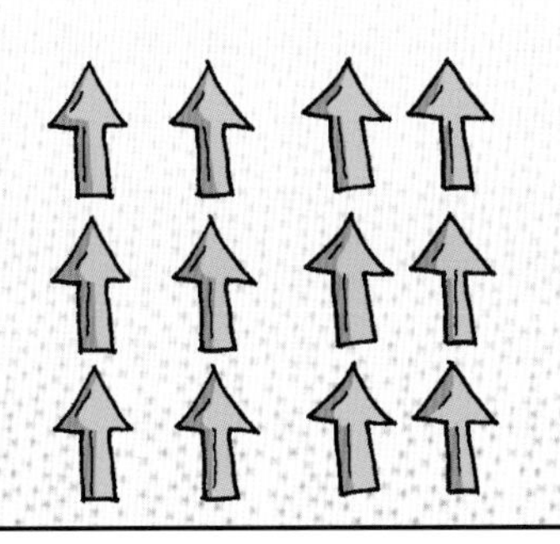
지금까지 물리학이나 화학에서는 주기적 결정만 다뤘거든.

물론 주기적 결정도 매우 흥미롭고 복잡한 대상이야.

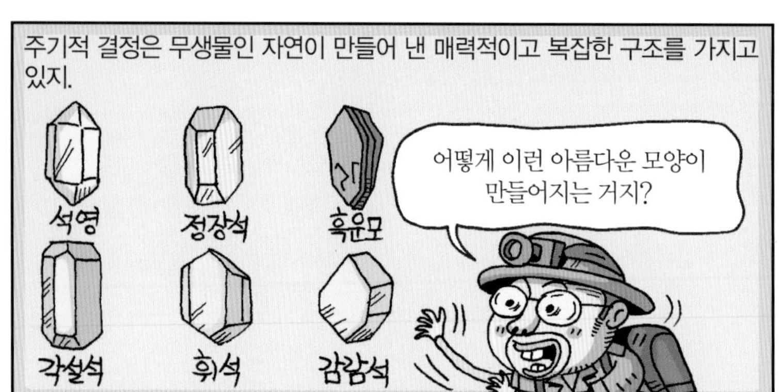
주기적 결정은 무생물인 자연이 만들어 낸 매력적이고 복잡한 구조를 가지고 있지.
석영
정장석
흑운모
각섬석
휘석
감람석
어떻게 이런 아름다운 모양이 만들어지는 거지?

하지만 비주기적 결정과 비교하면, 주기적 결정은 단순하고 따분한 편이야.
하암

주기적 결정이 규칙적인 무늬가 반복되는 평범한 벽지라면, 비주기적 결정은 위대한 화가가 그린 벽화와 같지.
이를 테면 라파엘로의 벽화처럼 말이야.

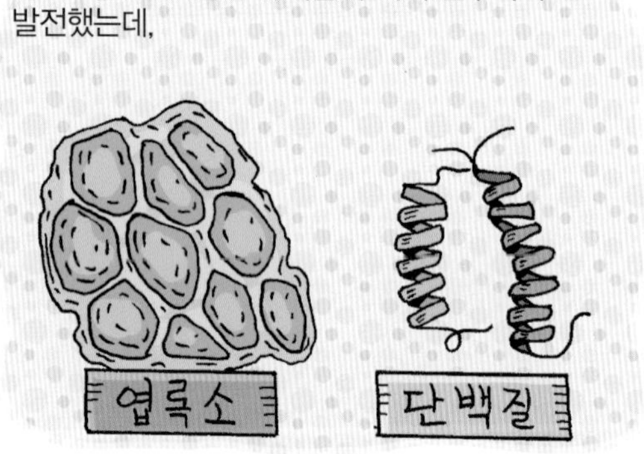
유기 화학은 복잡한 유기물에 대해 연구하며 발전했는데,
엽록소
단백질

그 과정에서 생명체 연구에 큰 도움이 됐어.
물리학자는 거의 한 일이 없지만….

자, 강연의 의도와 핵심 내용을 제시했으니
핵심
의도

이제 유기체에 대한 소박한 물리학자의 접근 방식을 소개할게.
소박한 물리학자는 나야, 나!

아무래도 물리학자가 생물을 얘기하기란 조심스러운 일이니까.
개굴

먼저 물리학의 통계적인 토대를 배우고,
통계물리학

유기체의 행동과 기능에 대해 생각해 볼 거야.
유기체
흠-

그런데 이 방식은 21세기에도 유용하게 쓰이는 것 같아. 과학 교과서 첫머리에 소개될 정도로 말이지.

끊임없이 검증하고 수정하면서
진리에 가까워질 수 있으니까.

우리가 보편적으로 받아들이고 있는
과학 이론조차 앞으로 수정될 여지가
남아 있단다.

가설 수정

휴, 과학은 끝이 없는
반복 과정이야.

일상 속의 모든 물질에는 어마어마한
수의 원자가 모여 있어.

물 한 컵 속에 들어 있는 분자들에 특별한 표시를 한다고 상상해 보자.

그 물을 바다에 붓고 잘 저어서 지구 전체에 균일하게 퍼지도록 하는 거야.

그러면 어디에서든 바닷물 한 컵을 떴을 때, 그 속에 우리가 표시한 분자가 100개쯤 들어 있을 거야.

원자의 크기는 노란색 가시광선 파장의 1/5000~1/2000이야.

여기에는 중요한 의미가 있어.

5000개

왜 노란색 가시광선 파장과 비교하느냐고? 노란색 가시광선 파장은 사람이 현미경으로 볼 수 있는 가장 작은 알갱이의 규모와 비슷하기 때문이지.

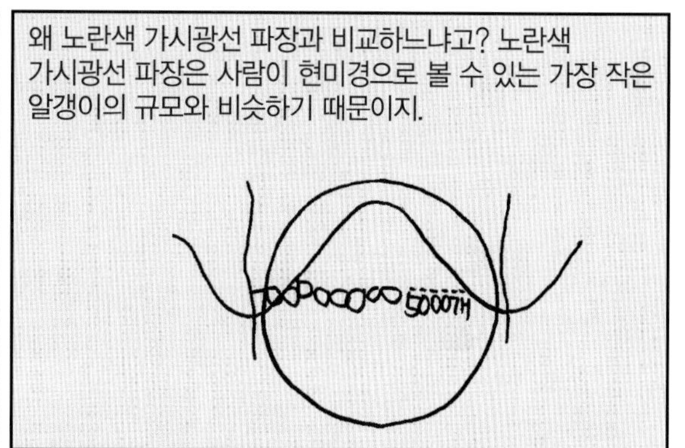

그러니까 그 작은 알갱이에조차도 수십억 개의 원자들이 들어 있는 거야.

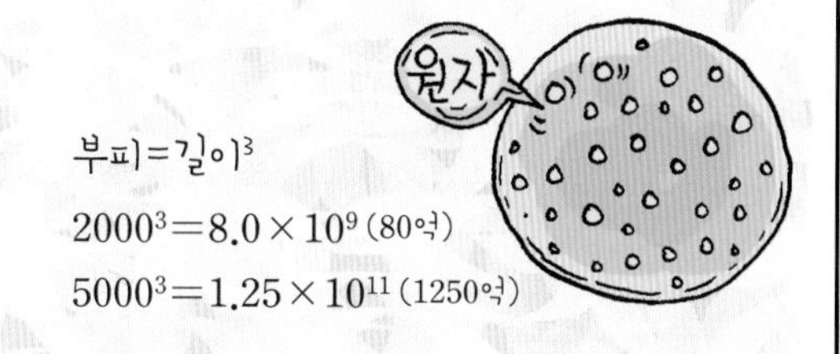

우리는 길이를 측정할 때 미터(m) 단위를 쓰지만, 물리학에서는 흔히 옹스트롬(Å) 단위를 써.

$1Å = 1/100억\,m$

어지러울 정도로 아주 작네.

원자는 왜 우리가 볼 수 없을 정도로 작을까?

이 질문은 뒤집어서 '우리 몸은 원자에 비해 왜 이리 클까?'라고 생각할 수도 있어.

만약 우리가 원자를 감지할 수 있을 정도로 작고 예민한 유기체라고 상상해 보자.
맙소사! 내 삶은 어떤 꼴이 될까?
공기 분자 하나하나를 느끼고 내 몸 속 혈액이 흐르는 것, 음식물이 지나가는 것도 느끼겠지. 하루종일 온몸에 벌레가 기어가는 기분일 거야.

이때 가장 큰 문제는 뇌가 '생각'을 할 수 없을 거라는 점이야.

뇌가 생각한다는 게 무슨 뜻일까?
이상한 질문을 던지시네.

잘 모르겠어요. 그런데 생각하려니까 뇌에 있는 원자들이 마구 움직이는 것 같아요.
와글-

맞아! 얼떨결에 정답을 맞혔구나.

생각은 그 자체로 질서가 있단다.
질서
척
척

생각의 주재료인 '감각'과 '경험'이 어느 정도 질서가 있기 때문이야.
감각
경험
생각

그러니 생각이 이루어지는 물리적 조직체도 당연히 질서가 필요해.
물리적 조직체

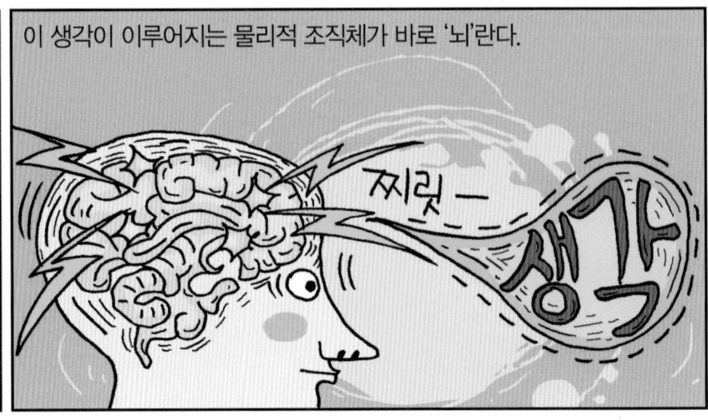
이 생각이 이루어지는 물리적 조직체가 바로 '뇌'란다.
찌릿-

그런데 질서를 유지하려면 반드시
필요한 조건이 있어.

질서를 유지하기 위해서 엄청난
수의 원자가 필요하다는 건가요?

맞아. 모든 원자는 항상 무질서한
열운동을 한단다.

개별 원자들은 행동에 규칙이
없어서 그 행동을 예측할 수도
없어.
내 맘대로

오직 엄청나게 많은 원자들이 함께
행동할 때에만 통계적으로 질서 있고
규칙적인 모습을 보여 주지.

우리가 학교에서 배우는 법칙들도 사실은
통계적인 법칙이야.
통계
에너지
보존법칙
질량 보존
법칙

집단의 규모가 작으면 제멋대로 움직이는 원자에 의해
법칙이나 질서가 흔들리겠지?
흔들.
흔들.

통계로 세상을 이해하는 것은 물리학의 기본 개념이니,
좀 더 쉽게 이해하기 위해 몇 가지 예를
들어 볼게.
수학에서 정수는
1,2,3…이다.
123…

어떤 예가 좋을까?
휘리릭

지금부터 이야기하는
예들이 어려울 수 있어.
좌절하지 말라고
미리 말해 두는 거야.

나중에 배우게 될 물리 교과서에는 '통계
열역학'이라는 단원으로 정리되어 있으니
참고하렴.
통계 열역학

첫 번째 예, *상자성

원통 모양의 관에 산소를 채우고 그 관을 자기장 속에 놓으면, 산소가 *자화되는 걸 관찰할 수 있어.

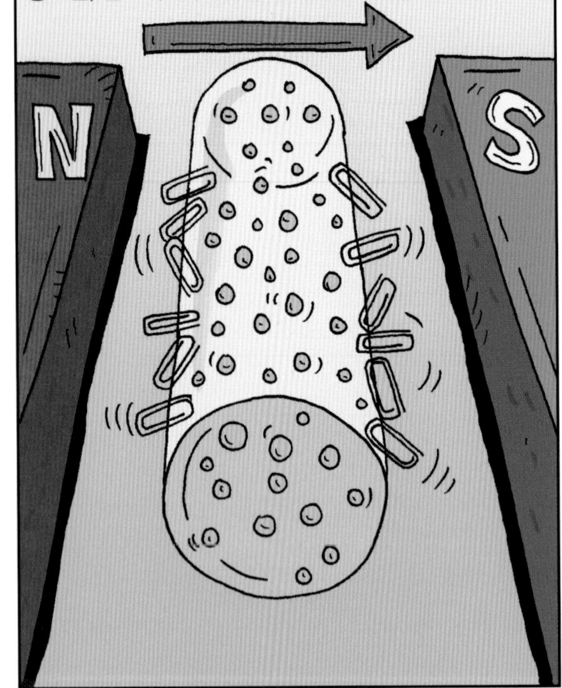

사실 산소와 같은 기체는 자화되는 정도가 매우 약하지만, 고체나 액체보다 단순하니까 이걸 예로 들게.

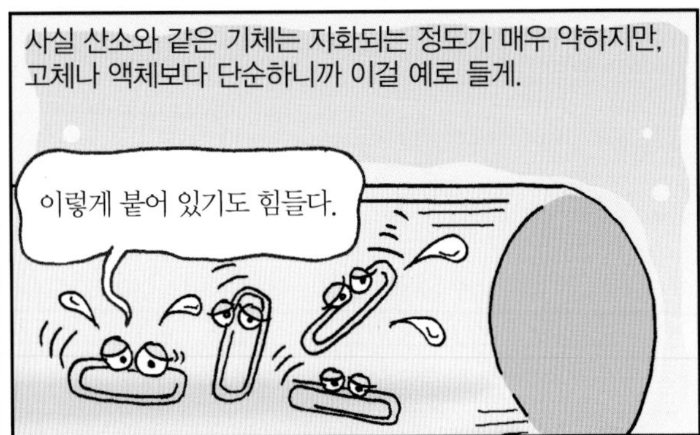

산소가 자화되는 이유는 산소 분자가 나침반 바늘처럼 *자기장에 평행하게 방향을 잡으려고 하기 때문이야.

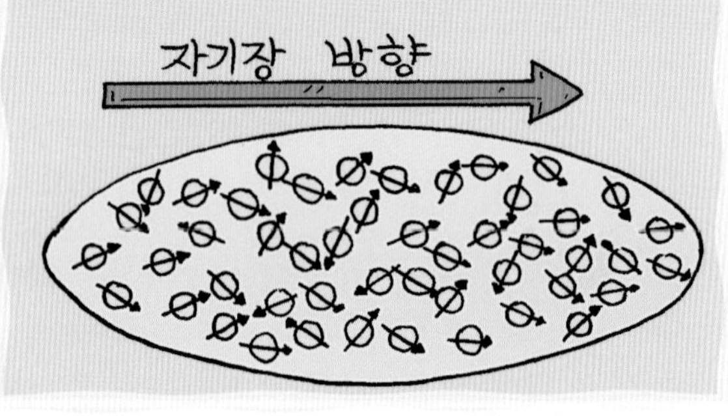

* 상자성: 주위에 자기장이 존재할 때 약하게 자성을 띠는 성질. * 자화: 물체가 자석의 성질을 띠는 현상. * 자기장: 자석의 힘이 미치는 공간.

자기장의 세기가 두 배가 되면 산소의 자화 세기도 두 배가 돼.

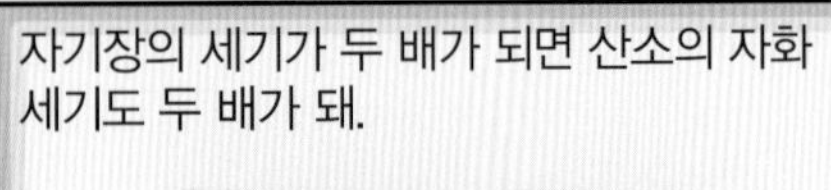
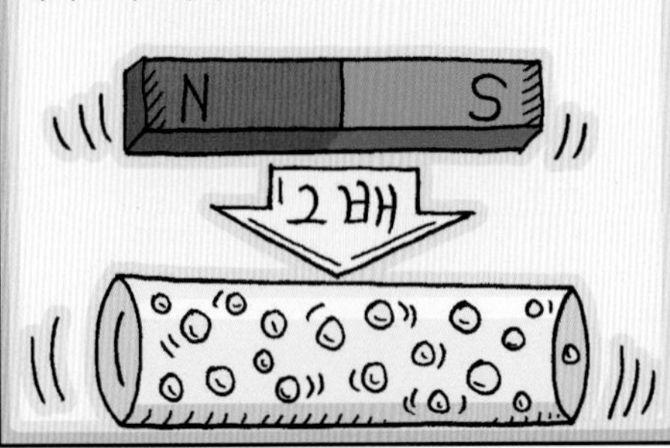

여기서 꼭 기억해야 할 것은 모든 산소 분자가 같은 방향을 향하지는 않는다는 거야.

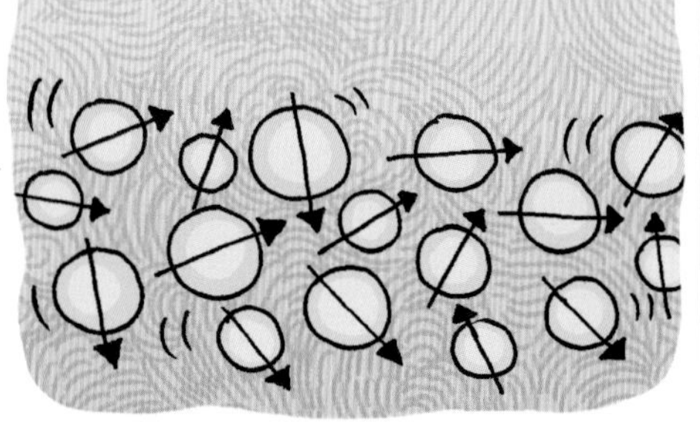

마음대로 움직이려는 분자들의 열운동에 의해 끊임없이 방해를 받기 때문이야.

평균적으로 자기장의 세기에 비례해서 자기장과 같은 방향을 선택하는 산소 분자들이 더 많은 것뿐이지.

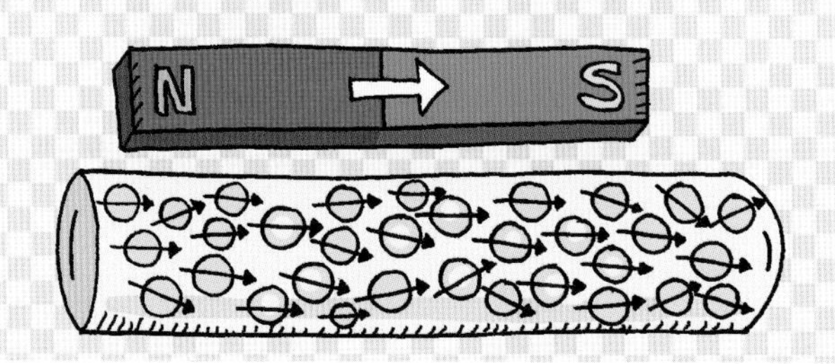

폴 랑주뱅(Paul Langevin, 1872~1946)

따라서 온도를 극도로 낮춘 상태에서 자화의 세기는 자기장의 세기에 비례하지 않고 아주 느리게 증가하지.

분자가 힘이 없어서 이미 대부분 시키는 대로 줄을 서거든요. 조교들이 많아져도 추가로 돌려세울 애들이 없는 거죠.

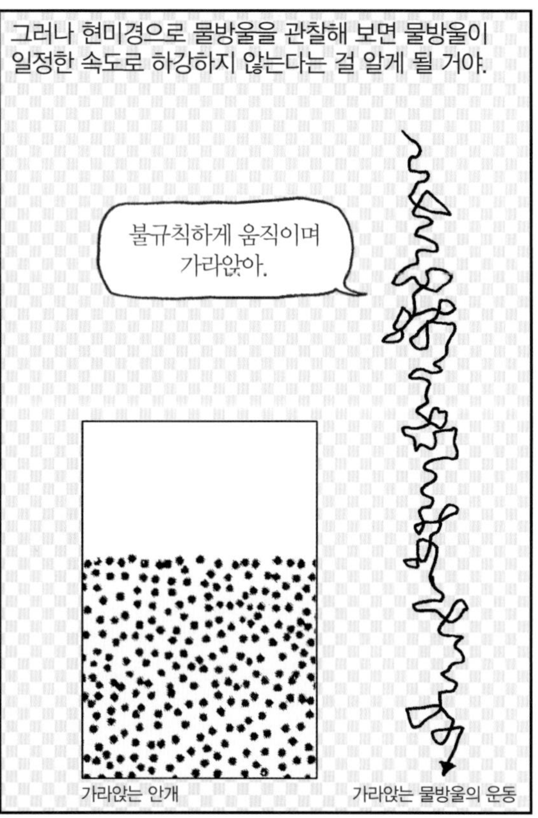

평균적으로만 중력의 영향을 받고 하강하는 것처럼 보이는 게 브라운 운동이야.

중력

박테리아를 비롯한 아주 작은 일부 유기체들은 이 운동의 영향을 크게 받아.

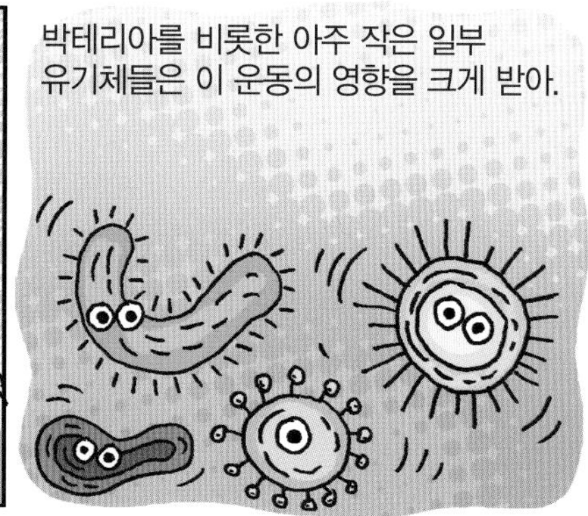

하지만 주변 분자들이 충돌하지 않으면 스스로 움직이지 못해.

만약 아주 작은 유기체들이 폭탄 선언을 한다면?

글쎄, 성공할 수도 있겠지만 유기체는 열운동의 영향을 받아 거친 바다 위의 조각배처럼 흔들리게 될 거야.

브라운 운동과 매우 유사한 현상으로 '확산'이 있어.

물에 잉크 한 방울을 떨어뜨리고 그대로 두면 잉크 방울이 물 전체로 퍼져 나가.

여기서 주목할 것은 잉크 분자들은 인구 밀집 지역에 있는 사람들이 빈 공간을 찾아 움직이듯이 일어나는 게 아니라는 점이야.

다른 잉크 분자를 떠밀 힘이나 의지도 없어.

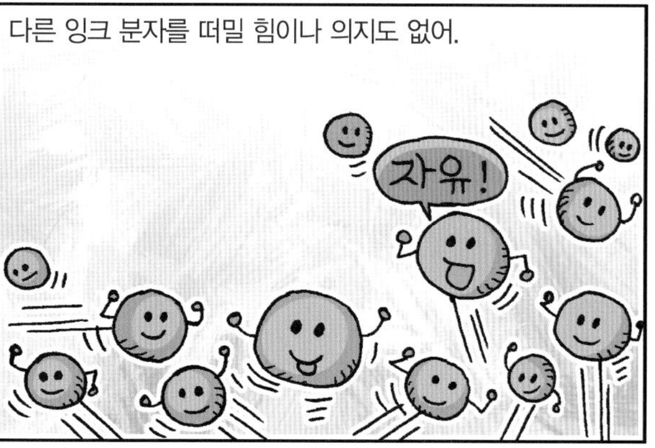

각각의 잉크 분자들은 다른 입자들을
만나지도 않을 뿐더러 독립적으로 행동해.
내 주변에는 온통 물 분자뿐이야.

그리고 물 분자가 끊임없이 부딪혀 오면 각각 예측할 수 없는 방향으로
움직이지.
여긴 어디?
난 누구?

마치 목적지 없이 '걷기' 충동만을
느끼는 사람이 눈을 가린 채
걷고싶다…
걷고싶다!
걷고싶다-

끊임없이 방향을 바꾸며 걷는 것과
같다고나 할까?
헉
헉
헉

이리저리 걷고 있는데,
그게 어떻게 규칙적인
흐름이 될 수 있어요?
농도가
높은곳
낮은곳

처음에는 이해하기 어려울 거야.

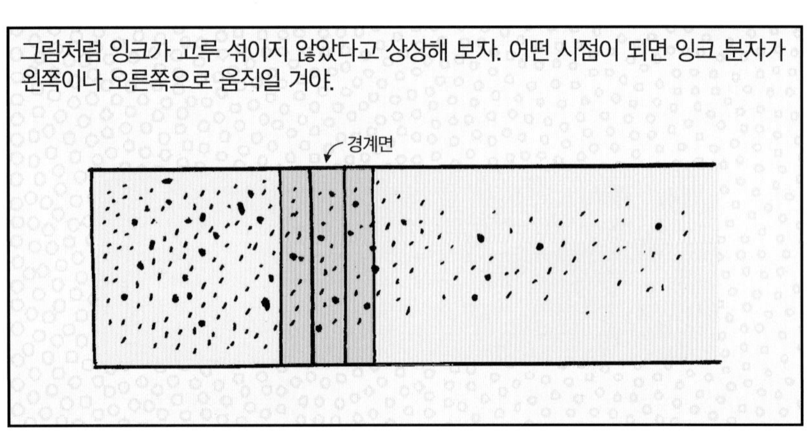
그림처럼 잉크가 고루 섞이지 않았다고 상상해 보자. 어떤 시점이 되면 잉크 분자가
왼쪽이나 오른쪽으로 움직일 거야.
경계면

이때 경계면을 보면 오른쪽 방향으로 가는 분자가 반대 방향으로 가는
분자보다 더 많을 거야.
왜냐고? 이건 어이없을
정도로 쉬운데….

왼쪽에 잉크 분자가
더 많으니까?
딩동댕.

결과적으로 농도가 높은 왼쪽에서 농도가 낮은 오른쪽으로 향하는 규칙적인 흐름이 형성되는 거야.

그 현상에 참여하는 분자들의 수가 아주 많아야 비로소 규칙적인 흐름을 관찰할 수 있어.

대규모 입자 모집

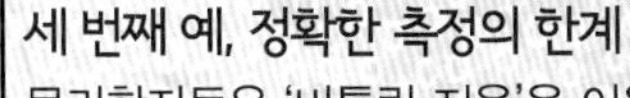

세 번째 예, 정확한 측정의 한계

물리학자들은 '비틀림 저울'을 이용해 미세한 힘들을 측정해.

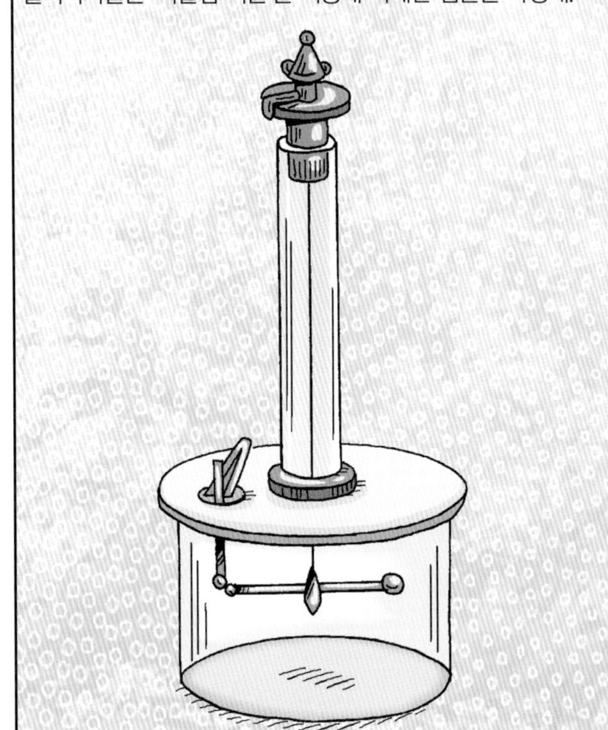

그들은 저울의 정확성을 향상시키는 과정에서 한계에 부딪혔지. 그런데 그 한계가 매우 흥미로웠어.

저울이 더 약한 힘을 감지할 수 있으려면 더 가벼운 물체와 더 가늘고 긴 실을 선택해야 하는데

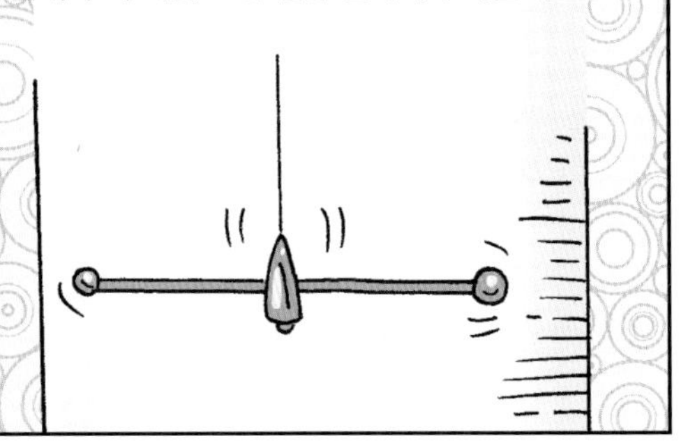

저울이 어느 한계에 다다르자 물체가 춤을 추듯 움직이는 거야.

열운동 효과와 측정할 힘의 효과의 경쟁에서 열운동 효과가 이기면서 관찰이 무의미해진 거야.

졌어

열운동

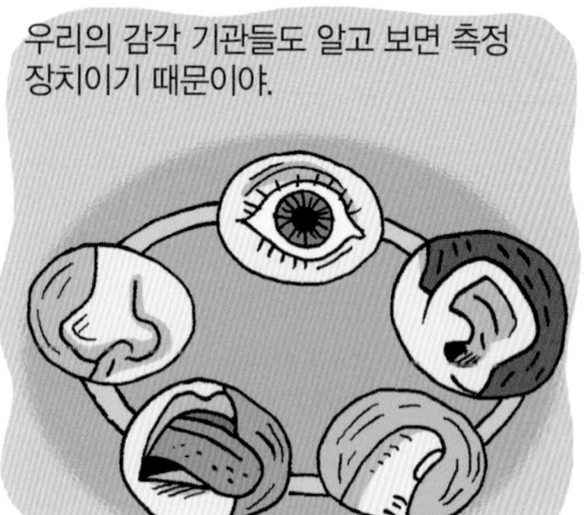

만약 내가 '어떤 기체는 특정 조건에서 특정 밀도를 가질 때 그 부피 속에 분자가 n개 존재한다.'고 주장했다고 하자.

n

그런데 분자가 1,000,000개라면 오차는 1,000이고 상대 오차는 0.1%가 돼.
오차가 작아졌으니 더 정확한 법칙이라고 할 수 있겠네요.

보편적으로 물리·화학 법칙들은 상대 오차의 범위가 있어.
법칙이라고 해서 완전히 정확한 건 아니군.

이때 n은 해당 법칙을 이끌어 내는 데 참여한 분자들의 수야.
n

여기서 또 한번 확인할 수 있겠지!

실험 결과가 보다 정확하려면 n의 크기, 즉 참여하는 입자의 수가 많아야 한다는 걸 말이야.
입자 모여라!
웅성

유기체의 크기가 아주 작으면 함께 활동하는 입자들의 수도 적어서 '법칙'이 부정확해져.
이게 다야?

우리가 출발할 때 던진 질문의 의미를 알겠니?
원자는 왜 그토록 작고,
유기체는 왜 그토록 큰가?

그런데 생명 현상에 있어서는 0.1%의 오차도 허용하지 않아.
거의 제로에 가까운 완벽함이 날 특별하게 만들었지.

도대체 얼마나 분자가 모여야 생명을 정확하게 나타낼 수 있을까?

괴테(Johann Wolfgang von Goethe, 1749~1832)

이 결론이 사소해 보일 수도 있어.
상식이잖아.
피식

1910년대 생물학자라면 이렇게 말했겠지.
아무리 대중 강연이라 해도 너무 상식적인 수준인데….
맞아.

세포 하나만 하더라도 셀 수 없이 많은 원자로 이루어져 있으니까
원자

생물체의 구조나 그 속에서 일어나는 현상들은 통계 물리학의 엄격한 요건을 만족시킬 정도로 많은 원자들이 참여해서 일어나는 거라고 말이야.
엄격한 요건?
수가 아주 커야 한다는 요건이야. 그래야 법칙이 되니까.

하지만 오늘날의 생물학자들은 전혀 다른 얘기를 해.
원자가 그렇게 많이 필요하지 않아.
여기서 '오늘날'은 내가 처음 강연을 했던 1940년대야.

정확한 통계 법칙이라고 말하기에는 아주 적은 수의 원자 집단이

살아 있는 유기체 속에서 일어나는 질서 있는 사건들에 결정적인 역할을 하고 있다고 말이야.
뻥!

이 말을 이해하려면 1940년대 유전학부터 간단히 살펴봐야 해.
문제는 내가 물리학자라는 점이군.

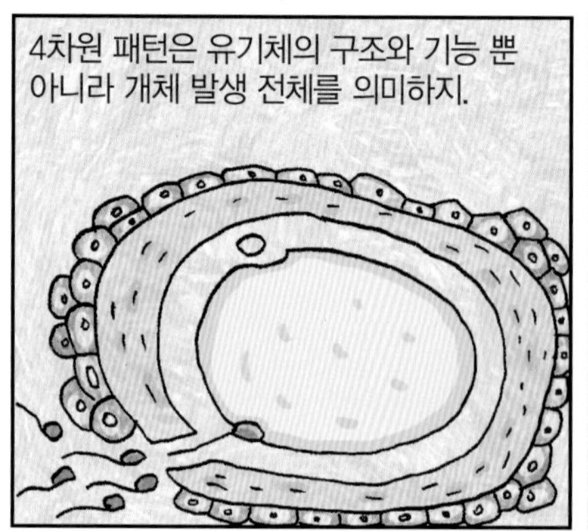

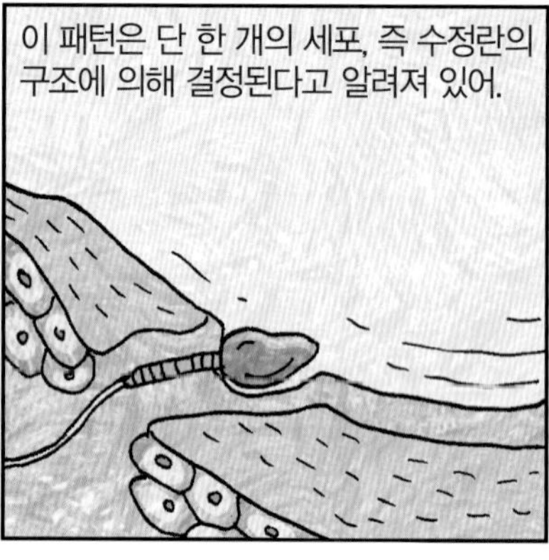

평상시 세포의 핵은
염색된 그물망 모양이야.

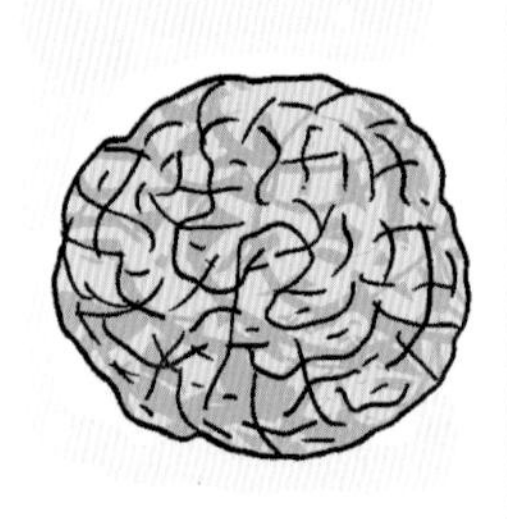

그런데 세포 분열을 하면 핵이 여러
개의 염색체로 이루어져 있는 것을
볼 수 있지.

염색체의 개수가 2의
배수인 이유는 크기와
모양이 같은 쌍을 이루고
있기 때문이야.

하나는 어머니, 다른
하나는 아버지로부터
받은 거야.

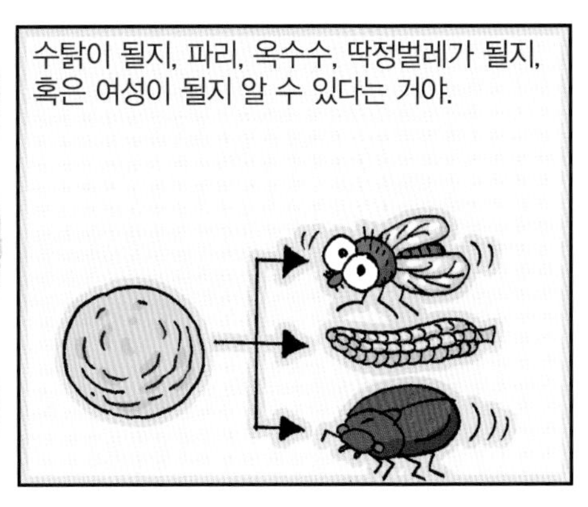

* 발생: 어떤 생물이 단순한 수정란 상태에서 복잡한 개체가 되는 일.

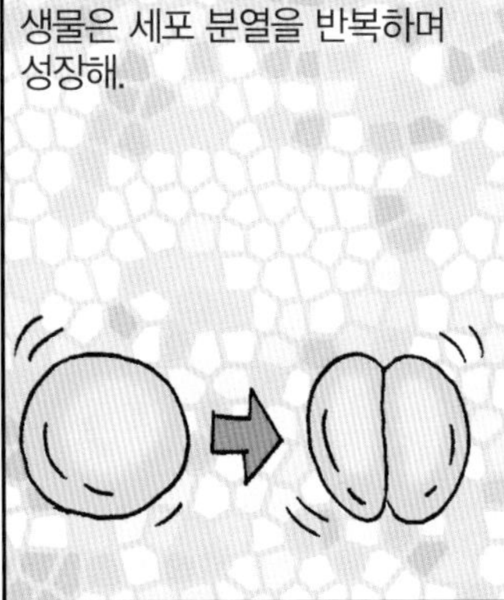

수정란은 두 개의 딸세포로 분열하고, 두 개의 딸세포는 다시 두 개로 각각 분열한 다음, 4세포기를 거쳐 8개, 16개, 32개, 64개… 이런 식으로 증가해.

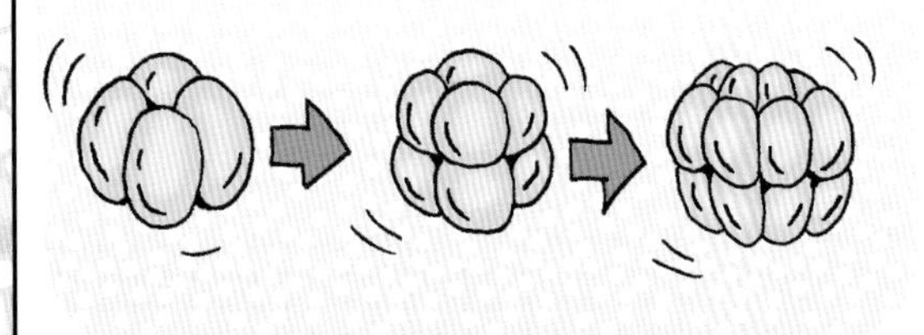

우리 몸의 모든 부위가 같은 속도로 성장하는 건 아니니까 이 규칙성은 곧 사라져.

50회 정도 세포 분열을 반복한다면 대략 100조에서 1000조 정도야.
2^{50},
100조~1000조
21세기 학자들은 약 60조로 추정한대.

이런 과정을 거쳐 어른 몸에 있는 개수만큼의 세포가 만들어진다고 추론할 수 있어.

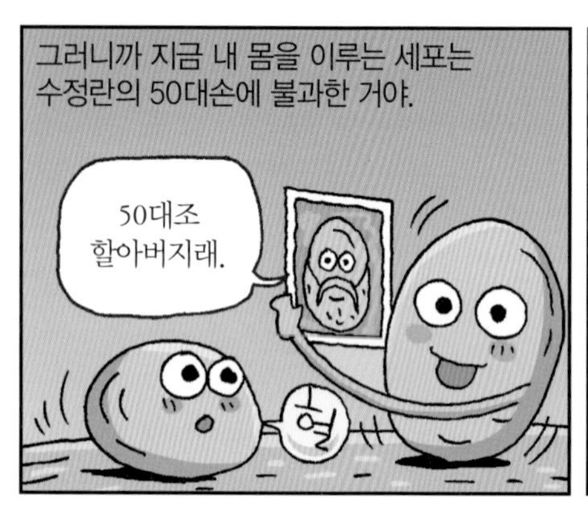
그러니까 지금 내 몸을 이루는 세포는 수정란의 50대손에 불과한 거야.
50대조 할아버지래.
헐

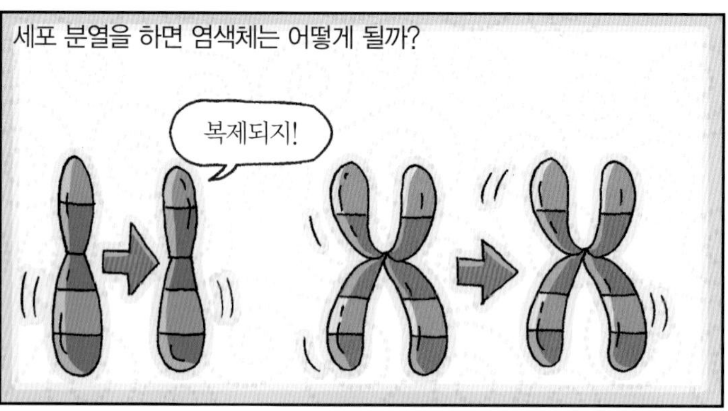
세포 분열을 하면 염색체는 어떻게 될까?
복제되지!

암호문은 모두 복제되어 딸세포들이 물려받아.
완전히 똑같아.

우리 몸의 모든 체세포가 똑같은 정보의 염색체를 갖는 거야.

체세포들 각각 전체적인 계획을 알고 있는 셈이지.
눈동자가 갈색인 걸 알고 있어.
피부세포
난 발가락 길이에 관한 정보를 알고 있다고.
근육세포

가장 놀라운 건 염색체가 두 벌이라는 것과 복제 과정에서 변함없이 유지된다는 사실이야.

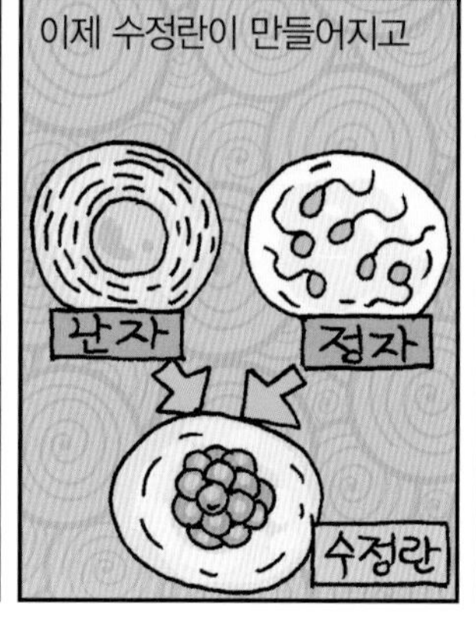
이제 수정란이 만들어지고
난자
정자
수정란

개체 발생이 시작되면, 곧 한 무리의 세포들이 분리돼.
우리를 모(母)세포라고 불러. 다음 세대를 위한 정자와 난자가 될 거야.
모세포

모세포들은 다른 세포들에 비해 체세포 분열을 적게 하며 성장하다가
복제하고, 분열하고,
복제하고, 분열하고,
뭐? 상처가 났다고? 분열해.
분열! 바쁘다 바빠!
한가해.
모세포

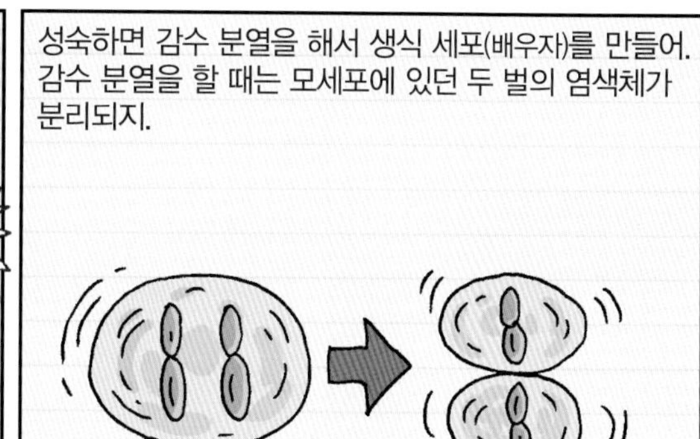
성숙하면 감수 분열을 해서 생식 세포(배우자)를 만들어. 감수 분열을 할 때는 모세포에 있던 두 벌의 염색체가 분리되지.

이때는 염색체가 두 배로 늘어나지 않는데….

으잉? 원고가 잘못됐나?
아, 이건 1940년대 원고지!

흠흠, 21세기 버전으로 바꿔야겠어.
슥슥

염색체는 체세포 분열을 할 때처럼 먼저 복제를 해서 유전 물질을 두 배로 늘리지.
2배

상동 염색체가 붙어서 분리되고(제1분열),

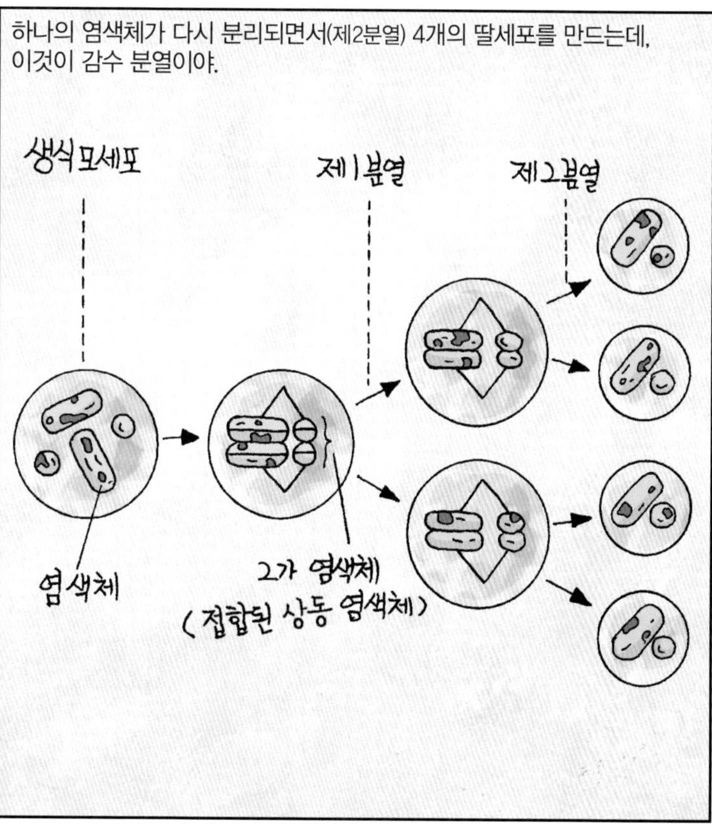
하나의 염색체가 다시 분리되면서(제2분열) 4개의 딸세포를 만드는데, 이것이 감수 분열이야.
생식 모세포
제1분열
제2분열
염색체
2가 염색체
(접합된 상동 염색체)

따라서 체세포에 있는 염색체의 수는 46개지만 생식 세포 (배우자)에는 23개의 염색체만 들어 있는 거야.
슈뢰딩거 교수님을 대신해서 21세기 과학자들이 알아낸 내용을 설명할게.

배우자는 반수체(n), 일반 세포는 이배체(2n)라고 부르는데
식물 중에는 3배체(3n), 4배체(4n)도 있어.

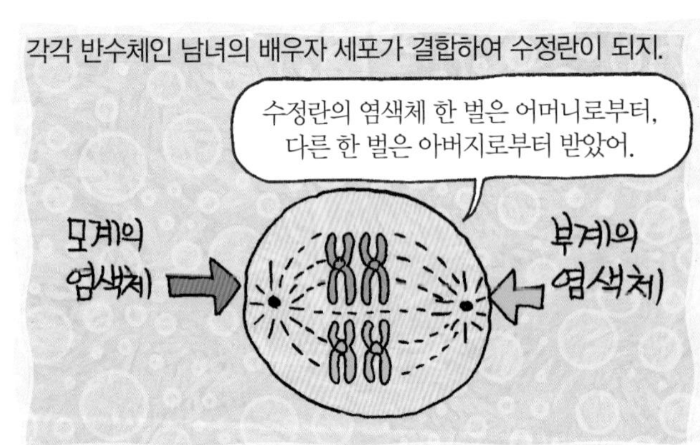
각각 반수체인 남녀의 배우자 세포가 결합하여 수정란이 되지.
수정란의 염색체 한 벌은 어머니로부터, 다른 한 벌은 아버지로부터 받았어.
모계의 염색체
부계의 염색체

그렇다면 염색체 한 벌(n) 속에 '패턴'을 나타내는 암호문이 정말 완벽하게 들어 있을까?
?

그 예를 잘 보여 주는 게 수벌이야.
수벌

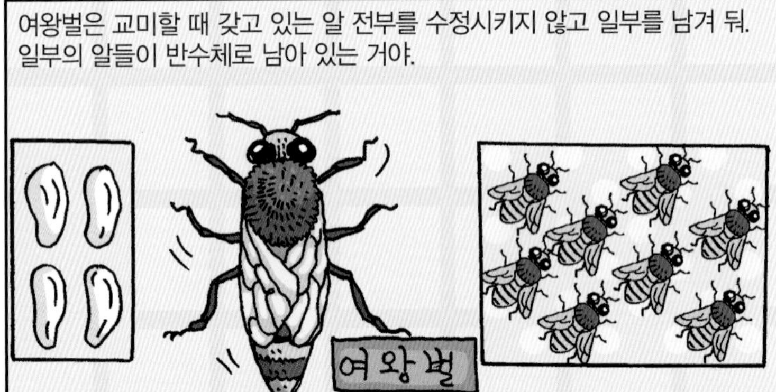
여왕벌은 교미할 때 갖고 있는 알 전부를 수정시키지 않고 일부를 남겨 둬. 일부의 알들이 반수체로 남아 있는 거야.
여왕벌

그런데 수정시키지 않은 알들이 놀랍게도 발생을 시작해. 이렇게 성숙한 개체가 바로 수벌이란다.
난 아버지가 없어.

수벌은 성숙할 때까지 보살핌만 받다가 여왕벌과 교미한 후에 죽어.
그게 내 존재 이유니까.
특이하고 불쌍한 녀석이네.

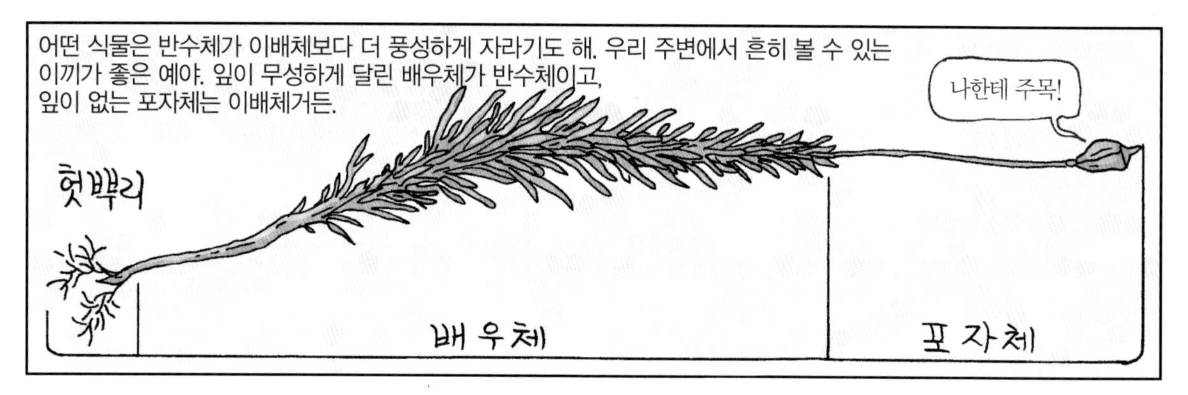

* 세대 교번: 무성 생식을 하는 세대와 유성 생식을 하는 세대가 번갈아 나타나는 현상. 이끼는 무성 생식으로 포자(n)에서 배우체로 성장한 뒤 유성 생식으로 수정(2n)을 하고 다시 포자를 생산함.

개체를 만들 때 가장 중요한 사건은 수정이 아니라 감수 분열이라고 할 수 있어.
수정을 안 해도 개체로 성장할 수 있지만
감수 분열을 안 하면 난자와 정자를 만들 수 없으니까!
수벌

감수 분열을 통해 염색체가 다음 세대로 전달되기 때문이야.
n
n

가령 내가 아버지로부터 받은 5번 염색체는 할아버지나 할머니로부터 받은 5번 염색체의 복사본이야.
확률은 50대 50! 누구에게 받았을까?
할머니
5번 염색체
할아버지
5번 염색체

1번, 2번, …, 23번 염색체도
할머니 귓불을 아빠가 닮고, 그걸 내가 닮고….

어머니로부터 받은 5번 염색체도 마찬가지야.
외할아버지
외할머니
5번 염색체
우연적 확률적

각각의 사건은 모두 독립적이지.
각각의 염색체가 서로에게 영향을 주지 않아.

그럼 엄마, 아빠가 만들 수 있는 수정란의 종류는….
으아아, 너무 많잖아!
2×2×2…×2=2^23

그런데 나는 엄마나 아빠로부터 똑같은 염색체를 물려받지 않을 수도 있어.
털보네 가족
나만 수염이 없어.

감수 분열 과정에서 '교차'가 일어날 수 있기 때문이야.

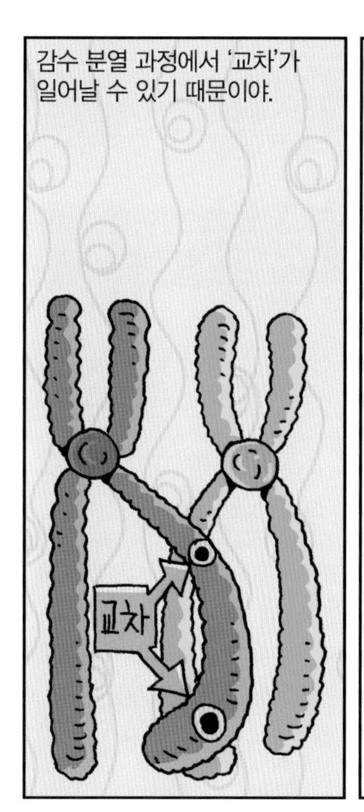

염색체가 감수 분열을 하기 전에 일부 염색체를 교환할 수도 있거든.

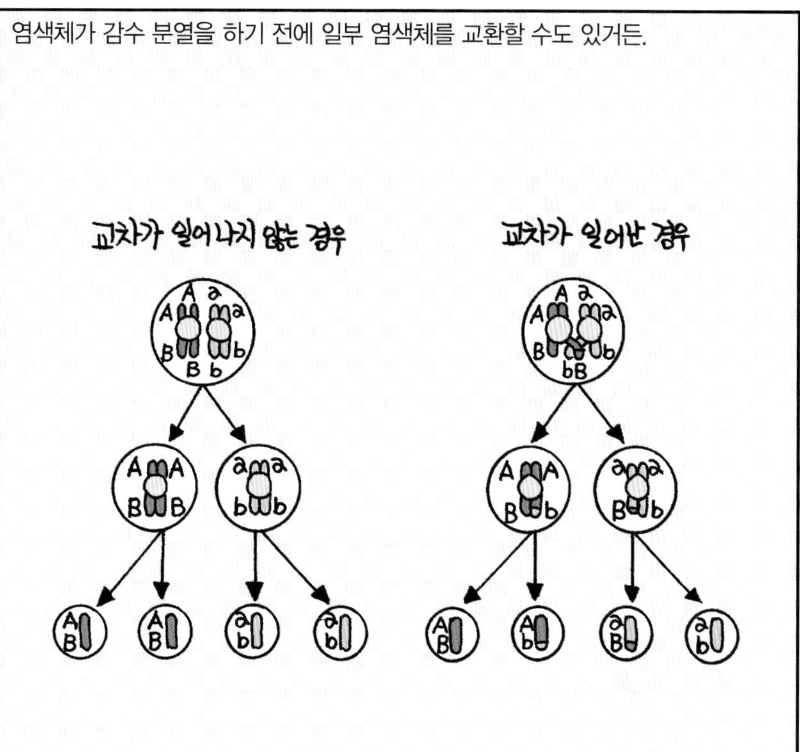

예를 들어, 곱슬/직모 유전 형질과 쌍꺼풀/외꺼풀 유전 형질이 한 염색체에 있다고 해보자.

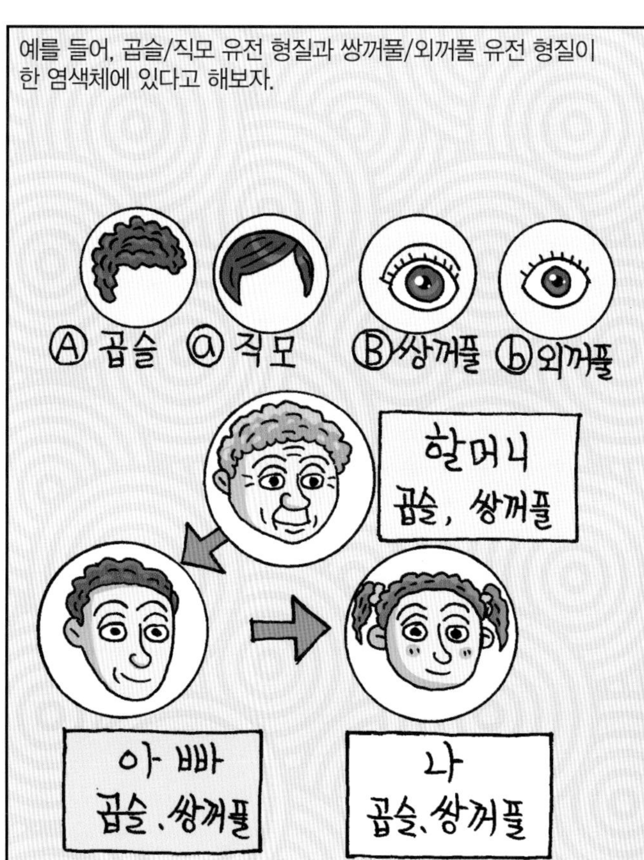

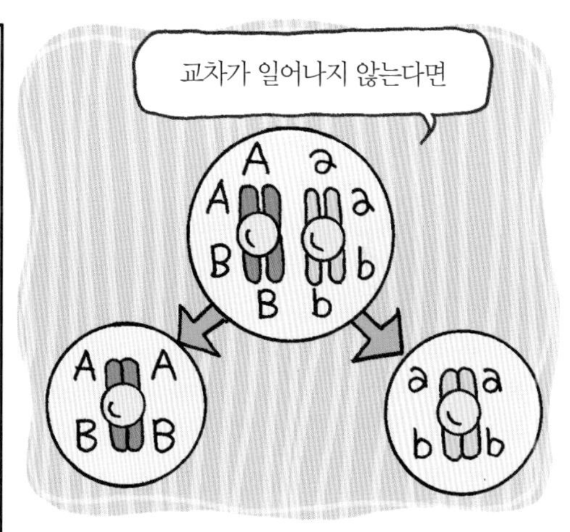

곱슬과 쌍꺼풀 유전 형질은 항상 함께 전달될 거야.

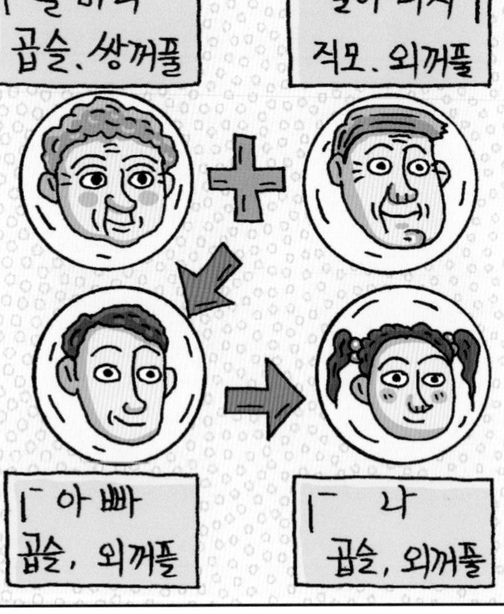
할머니 염색체가 할아버지 염색체와 교차해서 유전 형질을 교환한다고 해보자.
할머니
곱슬, 쌍꺼풀
할아버지
직모, 외꺼풀
아빠
곱슬, 외꺼풀
나
곱슬, 외꺼풀

교차가 일어난다면

이러한 과정들을 장기적으로 교배 실험을 해보면
세밀한 작업이니까
조심, 조심.

교차가 일어나는 확률을 알 수 있어.

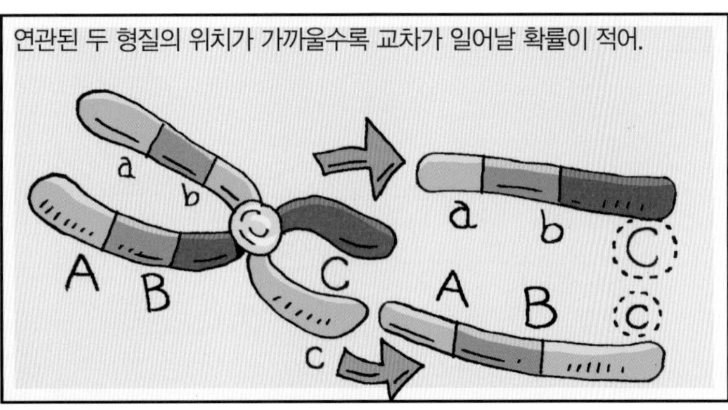
연관된 두 형질의 위치가 가까울수록 교차가 일어날 확률이 적어.

만약 두 형질이 염색체 양 끝에 있다면, 교차가 일어나 반드시 분리되겠지.
확률 99%!
촤라락
도 박사

이런 식으로 통계를 내면 일종의 특성 지도를 만들 수 있어.

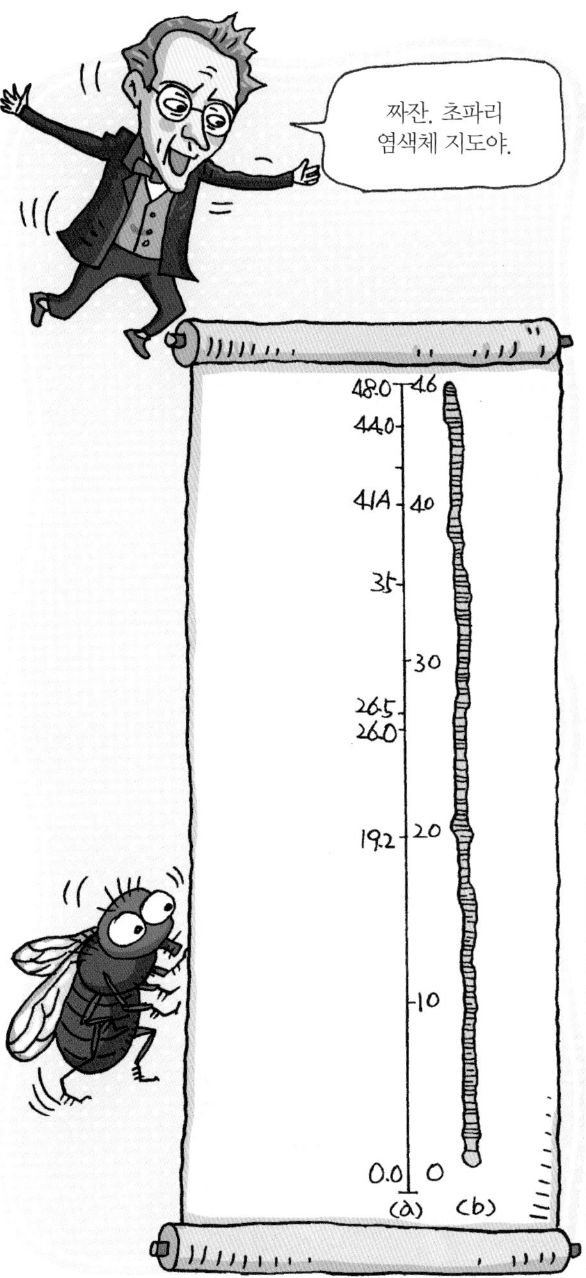
짜잔. 초파리
염색체 지도야.
48.0
44.0
41A
35
26.5
26.0
19.2
0.0
46
40
30
20
10
0
(a)
(b)

내가 지금까지 말한 염색체의 특성들은 1933년 노벨상을 받은 미국의 유전학자 토머스 모건이 초파리 실험으로 증명했어.
와아아
와아
토마스 모건(Thomas Hunt Morgan, 1866~1945)

유전자는 쌍을 이루어 염색체에 일렬로 배치되어 있습니다.
웽-
웽-
짝
웽!-

염색체 지도가 있으면 거꾸로 교차가 얼마나 일어날지 계산할 수도 있어.
물론 확률이지만….
착.
복채도사

지금까지 유전 메커니즘을 간략하게 살펴봤는데 더욱 중요한 게 남았어.

사실 이것을 빼놓고 이야기하는 것은 공허한 논의처럼 느껴져.
휘이잉...

이제 '형질'의 의미를 생각해 보자.
곱슬머리? 쌍꺼풀? 주근깨? 손톱 모양? 신체의 특성을 어디까지 구분해야 하지?

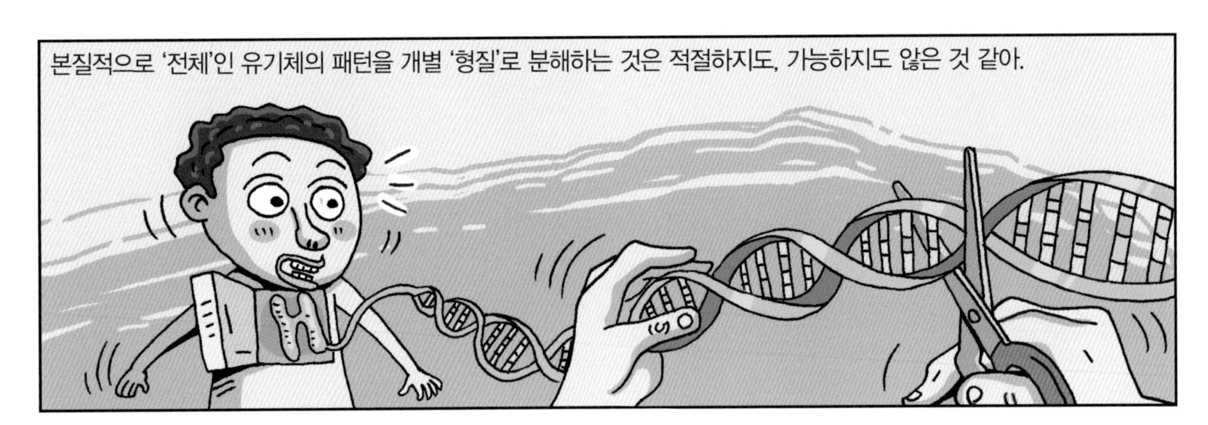
본질적으로 '전체'인 유기체의 패턴을 개별 '형질'로 분해하는 것은 적절하지도, 가능하지도 않은 것 같아.

우리는 구체적인 경우를 들어 한 쌍의 조상이 어떤 점에서 서로 다르고,
푸른 눈
갈색 눈

자손은 그중 한쪽을 닮는다는 것을 말하고 있지만

실제로는 염색체에서 그러한 차이를 나타내는 자리를 찾게 되지.
어디 보자…. 눈의 색깔이 어디에 있는고?

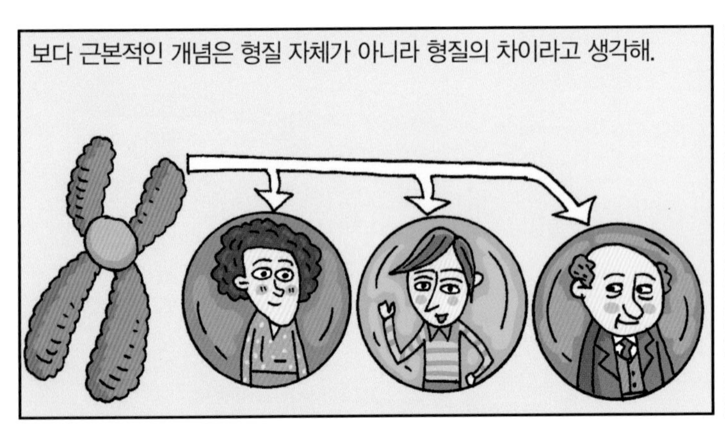
보다 근본적인 개념은 형질 자체가 아니라 형질의 차이라고 생각해.

차이가 나타나는 이유는 뭐지?
왜 다르지?
어떻게 달라지는 거지?
궁금한 게 더 많아졌어.

형질의 차이는 다음 장에서 돌연변이를 논하면서 더 자세히 다룰 거야.
돌연변이

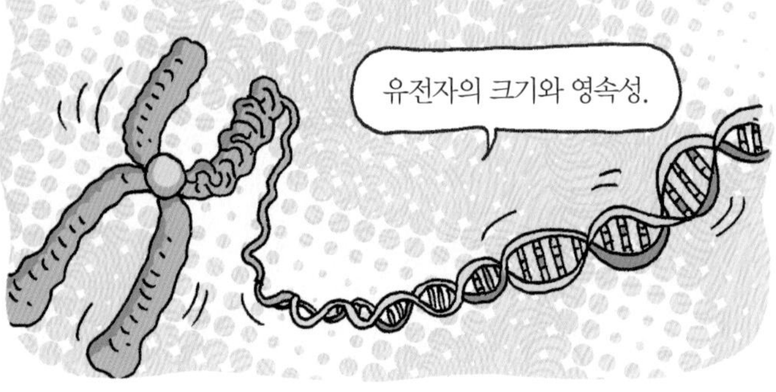
여기서는 보다 중요한 두 가지 핵심을 얘기해 보자.
유전자의 크기와 영속성.

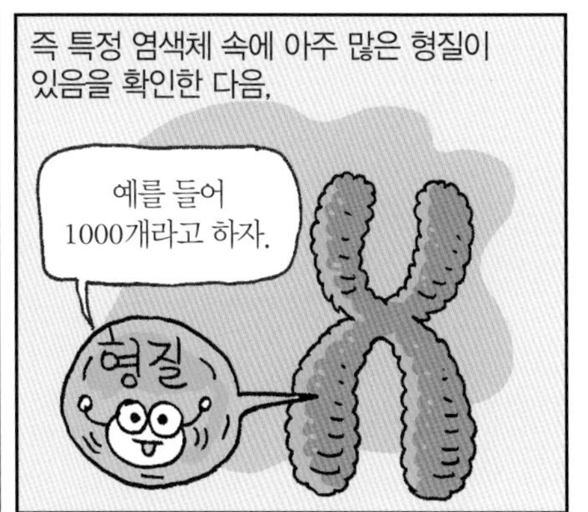

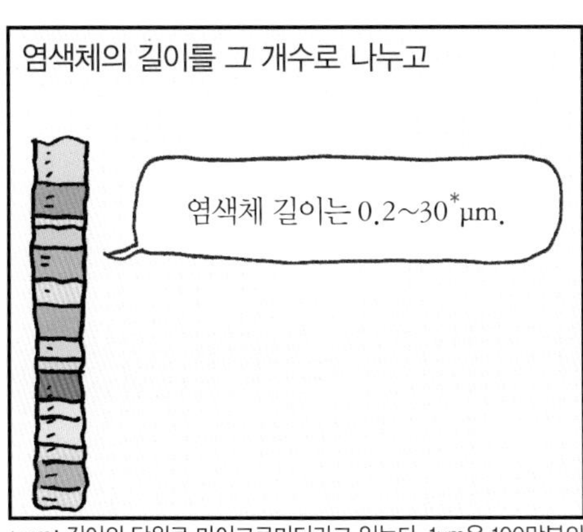

이 방법으로는 유전자의 최대 크기만 대략 구할 수 있어.

* μm: 길이의 단위로 마이크로미터라고 읽는다. 1μm은 100만분의 1미터이다.

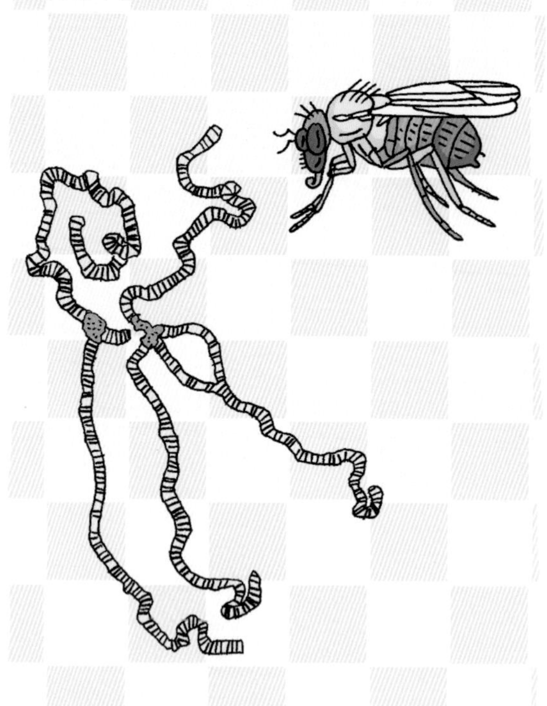

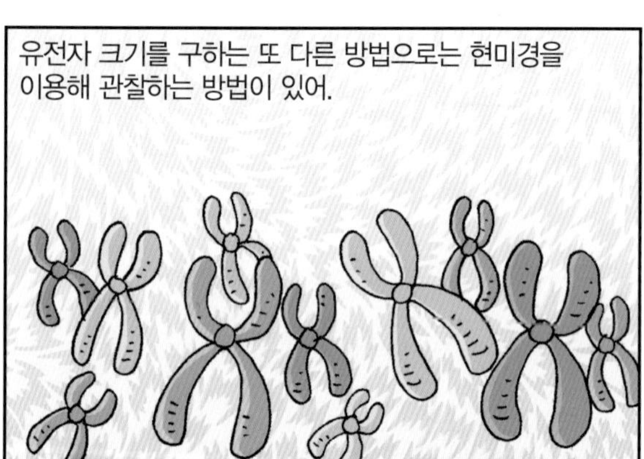

달링턴(Cyril Dean Darlington, 1903~1981)

* 옹스트롬: 길이의 단위. 빛의 파장이나 원자의 배열을 잴 때 쓴다. 1옹스트롬은 0.1나노미터(nm)이다. 기호는 Å.

유전자의 크기를 구하는 두 방법 모두 정밀하지는 않으니까 그 결과가 비슷하다고 보고, 달링턴의 주장에 따라 더 설명해 보자.
300옹스트롬(Å) 정육면체 당첨!
판 사
땅땅땅…
하이 파이브!
짝!

여기서 강조하고 싶은 건
중요

300Å은 액체나 고체 상태에서 원자가 100~150개 들어가는 정도에 불과하다는 거야.
100~150개.
촤르르

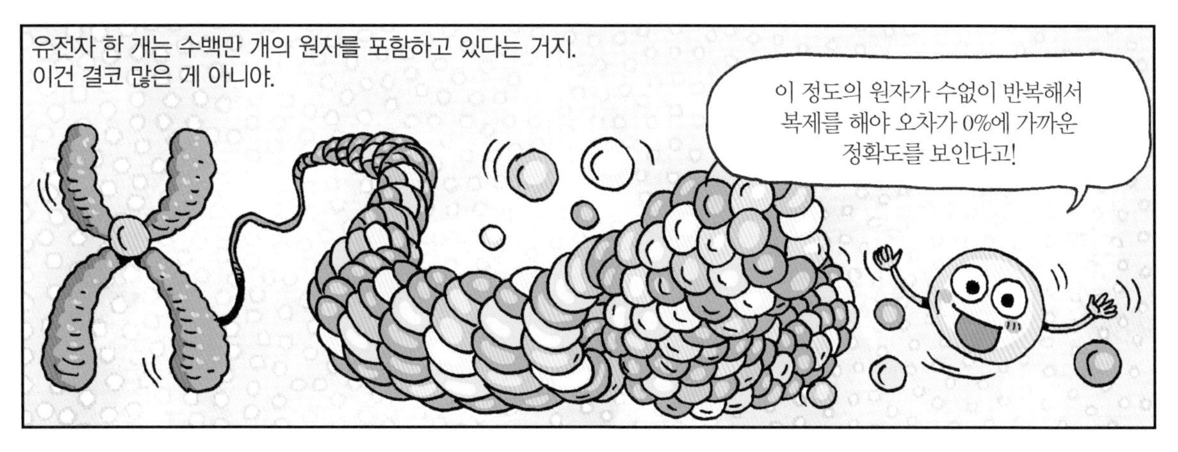
유전자 한 개는 수백만 개의 원자를 포함하고 있다는 거지. 이건 결코 많은 게 아니야.
이 정도의 원자가 수없이 반복해서 복제를 해야 오차가 0%에 가까운 정확도를 보인다고!

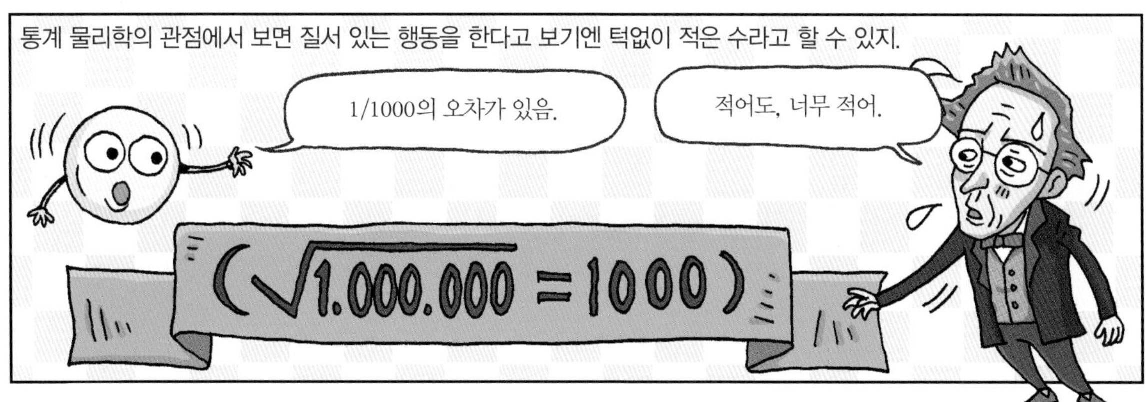
통계 물리학의 관점에서 보면 질서 있는 행동을 한다고 보기엔 턱없이 적은 수라고 할 수 있지.
1/1000의 오차가 있음.
적어도, 너무 적어.
(√1.000.000 = 1000)

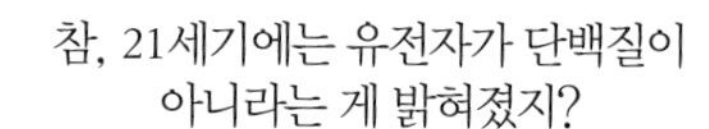

홀데인(John Burdon Sanderson Haldane, 1892~1964)

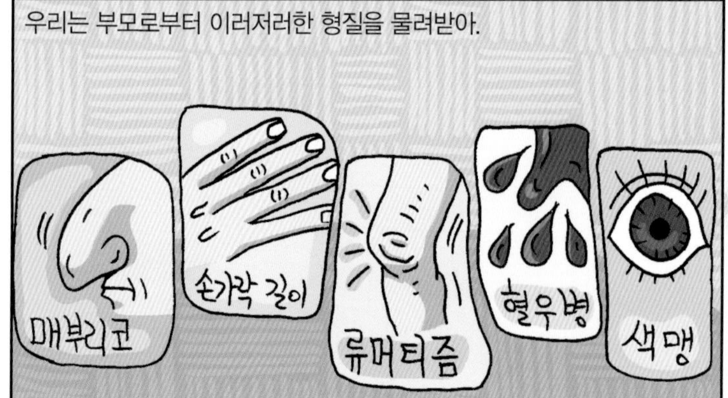

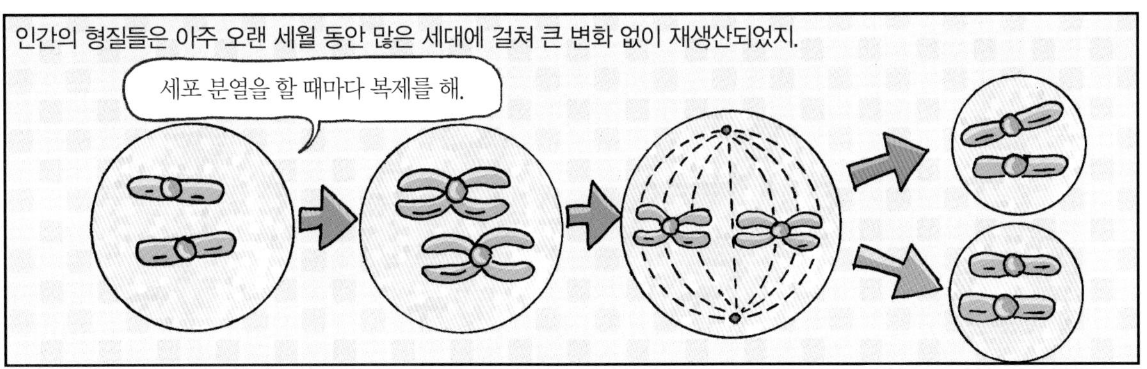
인간의 형질들은 아주 오랜 세월 동안 많은 세대에 걸쳐 큰 변화 없이 재생산되었지.
세포 분열을 할 때마다 복제를 해.

수정란에 전달된 생식 세포 속의
물질들은

다음 세대에 유전되어서 여러 가지
형질이 나타나게 되지.
붕어빵

이것은 기적이야! 통계
법칙을 한참 벗어났는데도
이토록 정확하다니!

이것보다 더 큰 기적은 하나뿐일 거야.

우리라는 존재가 기적적인
상호 작용을 하면서

동시에 그 상호 작용에 대한 지식을
확보할 능력이 있다는 사실이지.
탐구하는 인간.

첫 번째 기적, 그러니까 유전에 대한 연구는 우리가 완전히
이해할 수준까지 발전할 수 있을 거야.

하지만 두 번째 기적은 인간의 이해 능력 밖에 있지
않을까 싶네. 인간의 상호 작용과 탐구력은 너무나
심오한 영역이기 때문이야.

5장 돌연변이

흔들리는 현상 속에서 떠다니는 것을
영속적인 사유로 고정하라.
– 괴테

유전자 영속성의 증거로 제시한 사실들은 우리에게 익숙한 것들이야.
자식이 부모를 닮는다!
그건 저도 알아요.

하지만 그 익숙한 사실에도 예외가 있어.
누구 코를 닮은 거야?

그래서 유전의 메커니즘을 밝히기 위해 다양한 실험을 하고
부모를 닮지 않은 자손도 있네?
부모를 건너뛰고 할아버지를 닮은 자손은 뭐지?

자연 선택과 적자 생존으로 만들어진 새로운 종에 관해 거대한 실험을 하기도 했단다.
예외가 없으면 복잡하고 거대한 실험을 할 필요가 없어.

바로 유전자 메커니즘에
예외가 있다는 사실에 대해
예외

이번 장에서 논의해 보자.

이번에도 내가 생물학자가
아니라는 점을 양해해 줘요. 헤헤.

우선 '예외'가 뭔지 확실히 알아야 해.
다르다고 모두
'예외'는 아니지.

다윈은 동질적인 집단에서 발생하는 매우 작고 연속적인 변이들에도 자연
선택이 작용한다고 봤어.
자연선택
키
몸무게
머리카락 길이

나중에 그건 오류로 밝혀졌어.
그런 변이들은 유전되지 않아.

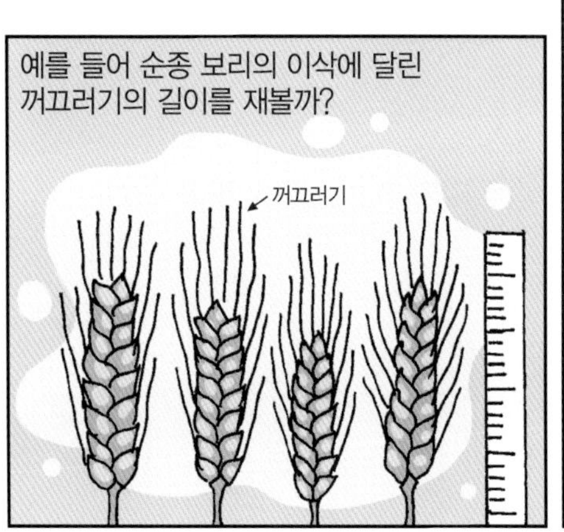
예를 들어 순종 보리의 이삭에 달린
꺼끄러기의 길이를 재볼까?
꺼끄러기

이삭의 개수와 꺼끄러기 길이를 그래프로 나타내면 다음과 같아.
이삭의 개수
꺼끄러기 길이

이제 꺼끄러기의 길이가 평균보다 확실하게 긴 이삭들만 심어
보리를 새로 수확하면 어떨까?
이삭의 개수
꺼끄러기 길이

꺼끄러기의 길이가 긴 이삭들이
많아져서 그래프가 오른쪽으로
치우쳐 있겠지.

땡~!
순종 보리인 경우에도 그래프는 원래의
그래프와 모양이 동일해.
이삭의 개수
꺼끄러기 길이

작고 연속적인 변이는 유전되지 않기 때문이야.

사람이 의도적으로 교배를 반복해서
품종을 개량하기도 하는데
그 과정이 무척 힘들고 오래 걸려요.
성공한다는 보장도 없죠.

요새 누가 그렇게 해?
맞아. 요즘엔 유전자를
분석해서 품종을 개량하지.

유전 물질에 기반을 둔 변이만
확실하게 유전된단다.

1902년 드 브리스는 완벽하게 순종인 집단의 자손 중에서도
달맞이꽃 연구
드 브리스(Hugo De Vries, 1848~1935)

아주 드물게 '뛰어넘기식' 변이를 가진 개체가 발생한다는 걸 발견했어.

'뛰어넘기식'이란 중간 형태가 없이 불연속적으로 변화한다는 뜻이야.

이 변화가 바로 '돌연변이'야!
너를 돌연변이라 명명 한다.

중요한 건 불연속성이야.

드 브리스의 발표를 들으니 물리학자로서 양자 이론을 떠올리지 않을 수 없군.
양자 이론

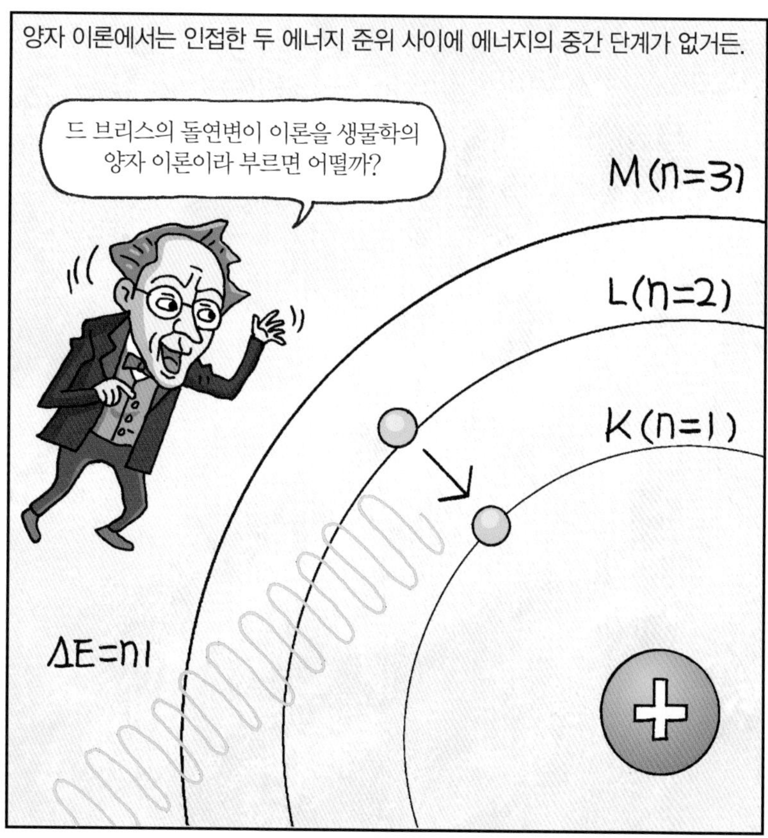
양자 이론에서는 인접한 두 에너지 준위 사이에 에너지의 중간 단계가 없거든.
드 브리스의 돌연변이 이론을 생물학의 양자 이론이라 부르면 어떨까?
M(n=3)
L(n=2)
K(n=1)
ΔE=nl

실제로 돌연변이는 유전자 분자 내에서 양자 뛰어넘기가 일어나 생기는 현상이거든.

양자 뛰어넘기

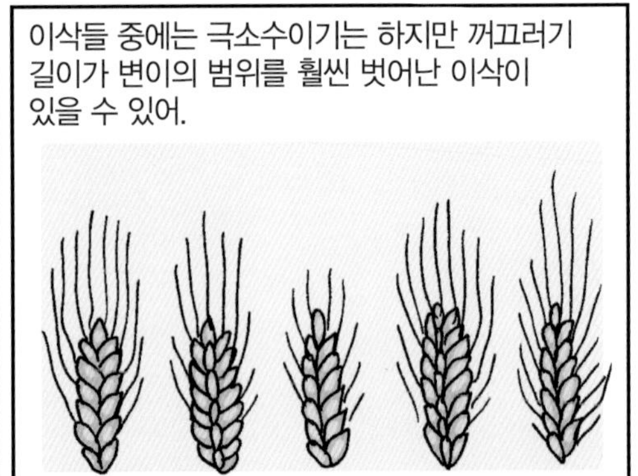

다윈의 이론에서 '미세한 우연적 변이'를
'돌연변이'로 바꾸기만 하면,
미세한 우연적 변이
획
돌연변이
척

다윈의 이론은 수정할 게 없어.
난 진화론 완전 찬성!
허허… 쑥스럽게

물론 돌연변이에 대해서는 아직 연구할 게 많아.
중요한 문제이긴
하지만 다른 길로
샐 수 있으니 이만….

실제 유전 메커니즘을 밝힌 교배
실험은 돌연변이를 이용해 자손을
꼼꼼히 분석하는 방식으로
응용되고 있어.

이제부터 돌연변이로 알게
된 유전 양상에 대해
알아보자.
돌연 변이
유전 양상

어떤 염색체의 특정 부위에
돌연변이가 나타난다고 해보자.
돌연
변이

한 쌍의 상동 염색체 중 한 개만 변했다면
이렇게 표시할 수 있지.
다를 '이(異)'를 써서
이형접합이라고 해.

둘 중 한 개만 변했다는
걸 어떻게 알죠?

돌연변이체와
정상 개체를 교배해
보면 되지.

그 자손들 중 정확히
절반은 돌연변이 형질이
나타날 거야.
나머지 절반은 정상!
돌연변이
정상

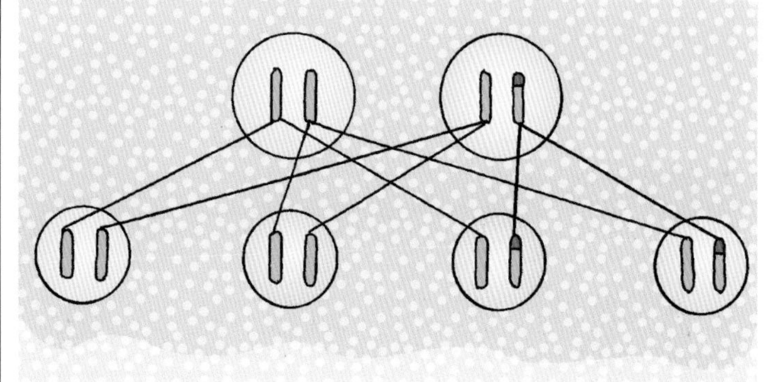
감수 분열을 할 때 상동 염색체가 분리되어 유전될 테니까.

그런데 실제 돌연변이 실험은 더 복잡해.

돌연변이들은 대개 '잠재적'인 형질이라
돌연변이 동면 중
쿨~

겉으로 특성이 잘 드러나지 않거든.
잠재적 형질

돌연변이체의 경우 두 암호문은 더 이상 동일하지 않아.
적어도 변이가 일어난 자리는 다르지.

그렇다고 원래의 암호문을 '정통', 돌연변이 된 암호문을 '이단'으로 보는 건 전적으로 잘못된 시각이야.
NO!
정통
이단

두 암호문은 동등한 권리를 갖고 있어.

현재 정상으로 보는 형질도 과거에는 돌연변이였을 테니까.
돌연변이
조상님

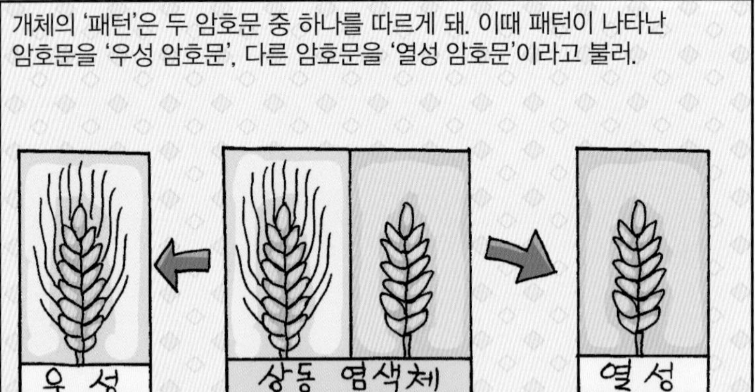
개체의 '패턴'은 두 암호문 중 하나를 따르게 돼. 이때 패턴이 나타난 암호문을 '우성 암호문', 다른 암호문을 '열성 암호문'이라고 불러.
우성
상동 염색체
열성

돌연변이가 열성 암호문이라면, 분명 염색체에 변한 부분이 있는데 패턴이 나타나지 않으니까 숨겨져 있다고 표현하는 거야.
이 암호문을 '대립 유전자'라고 해.
상동유전자
대립 유전자

돌연변이는 대개 열성 대립 유전자야.
열성대립 유전자
돌연변이

열성 유전자가 패턴에 영향을 주려면 상동 염색체 모두에 있어야 해.
같은 동(同)을 써서 '동형 접합'이라고 해.

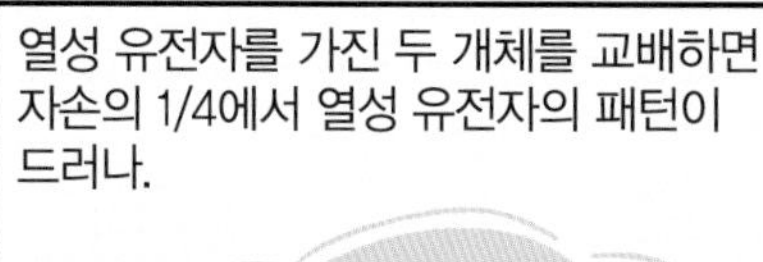

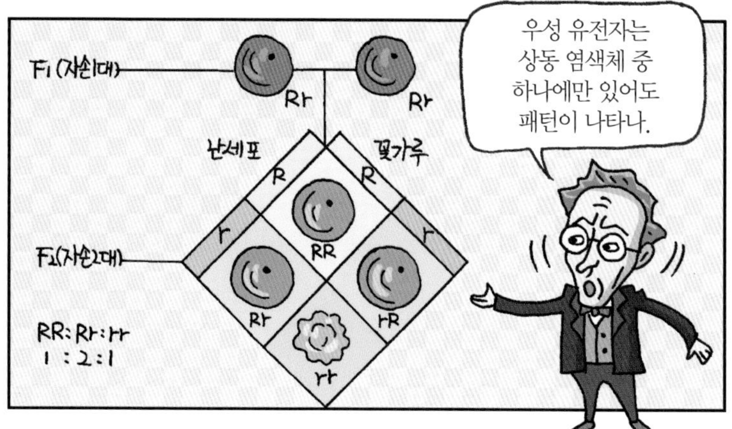

겉모습이 완전히 같은 두 개체가 유전적 특징이 다를 수 있다는 사실은 아주 중요해.

전문적인 말로 요약하면

열성 대립 유전자는 유전자형이 동형 접합일 때에만 표현형에 영향을 끼친다.

해로운 열성 돌연변이가 발생했다 하더라도

즉각적인 피해가 일어나지 않을 수 있어.

걱정 마, 우성인 나만 믿어.

당사자에게 바로 나타나지는 않거든.

그 염색체는 제거되지도 않지.
겉으로 드러나지 않을 뿐이야.
나한테 해로운 돌연변이가 생겼다면….

돌연변이가 없는 배우자와 결혼하면
R r
R R
부
Rr−RR (겉으로는 모두 정상)
모
R R
R r
1세대 자손: RR, Rr (겉으로는 모두 정상)
평균적으로 내 손자의 25%는 돌연변이 유전자를 가질 거야.
1세대 자손이 돌연변이 없는 배우자와 결혼하면
RR−RR
Rr−RR
2세대 자손: RR, RR / RR, Rr (겉으로는 모두 정상)
같은 돌연변이를 가진 개체들이 서로 결혼하지 않는 한, 그 개체들은 해롭지 않은 셈이지.
정상
돌연변이

다만 가까운 친척끼리는 결혼을 하지 않는 것이 좋아.
바로 확률 때문이야!

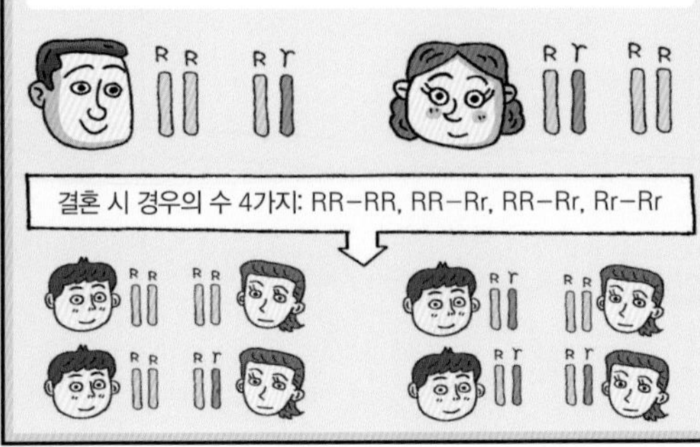
내 자식들에게서 돌연변이가 태어날 확률은 1/2이니까
결혼 시 경우의 수 4가지: RR−RR, RR−Rr, RR−Rr, Rr−Rr

만약 두 사람이 결혼하면 위험한 결합이 될 확률은 1/4이 되거든.
앞의 4가지 중 Rr−Rr이 걸릴 확률은 1/4.
R r R r

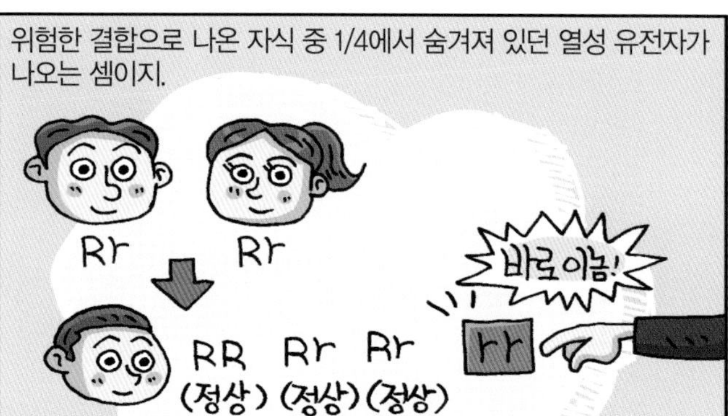

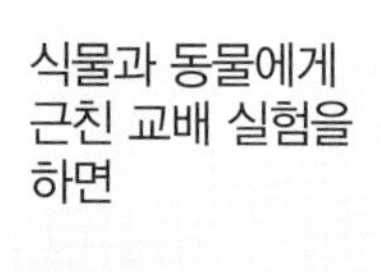

근친 교배를 할수록 드물게 나타나는 심각한 결함 외에도 가벼운 결함들이 증가하는 걸 알 수 있어.

실험을 하다 날지 못하는 초파리도 발견했어. 글쎄 날개 흔적만 남아 있더라니까.

허약한 아기를 절벽에서 떨어뜨렸던 스파르타 사람들처럼
가혹한 방식으로 해로운 유전자를 제거할 수는 없잖아?

내가 강연을 했던 1940년대에는
환경에 잘 적응하는 집단이
살아남는다는 적자 선택의 원리를
크게 왜곡한 사람이 있었지.

이형 접합인 경우 우성 유전자만 겉으로
나타난다는 게 놀라운데요, 항상 그런가요?

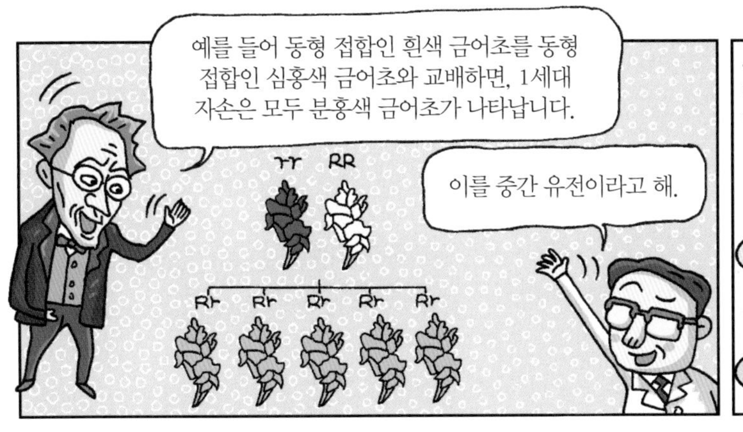
예를 들어 동형 접합인 흰색 금어초를 동형 접합인 심홍색 금어초와 교배하면, 1세대 자손은 모두 분홍색 금어초가 나타납니다.
rr RR
Rr Rr Rr Rr Rr
이를 중간 유전이라고 해.

두 대립 유전자가 동시에 영향력을 발휘하는 아주 재미있는 사례가 혈액형이지.
A형
B형
AB형
AB형

혈액형을 알기 위해서는 '열성'이라는 개념부터 이해해야 돼.
열등이 아니야.
열성유전자

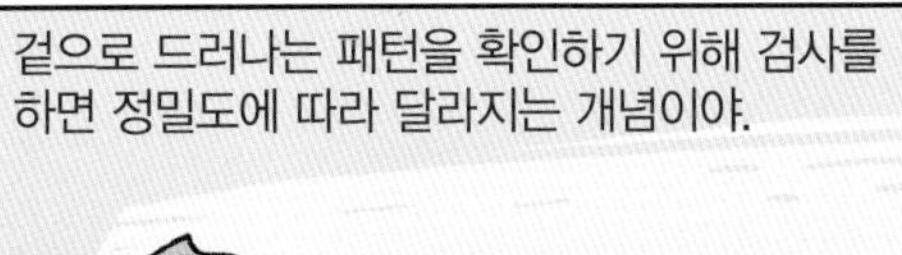

A형 아빠와 O형 엄마가 결혼하면 자녀는 모두 A형이야.
AA
OO
O는 열성 대립 유전자.
AO
AO
AO
AO

그렇다고 O형 유전자가 열등하다는 의미는 아니야.
O형
A형보다 덜 떨어졌다고 말하지 마!

열성은 정도의 차이가 있을 수 있고,

겉으로 드러나는 패턴을 확인하기 위해 검사를 하면 정밀도에 따라 달라지는 개념이야.
열성유전자

열성이란 말이 오해를 부르는 면이 없잖아 있는데….
열성
불량?

우성과 열성을 처음으로 구분한 사람은 그레고르 멘델 신부였어.
슈퍼스타

멘델은 자신의 수도원 텃밭에 완두를 심고

여러 종의 완두를 교배해서 다음 세대의 자손을 관찰했지.
관찰의 핵심은 완두의 숫자 세기.
난 이제 완두만 봐도 징그러워.

그 결과 부모의 특성이 다음 세대로 전달될 때의 기본 법칙을 발견했단다.

1. **우열의 법칙**: 우성만 나타남.
2. **분리의 법칙**: 이형접합끼리 교배했을 때 표현형이 3(RR, Rr, Rr) : 1(rr)로 나타남.
3. **독립의 법칙**: 두 가지 형질(예: 둥근/주름진, 녹색/주황 콩)이 각각 3 : 1로 나타남.

멘델은 1866년에 브륀 자연과학연구회에서 자신의 연구 결과를 발표했지만

아무도 그의 연구에 관심을 기울이지 않았어.

그의 논문은 곧 사람들의 기억에서 잊혔어.

35년이 지난 후, 멘델의 논문은 과학자들에 의해 재발견되었단다.

돌연변이는 보통 생존에 불리한 형태로 나타나.

돌연변이체는 제거될 위험을 무릅쓰고 끊임없이 돌연변이를 새로 '시도'하고 있어.

자연적인 돌연변이는 생물의 종이 발전하는 작은 출발이 될 수 있어.

그런데 자연 선택에 적합하려면 돌연변이는 드물게 일어나야 해.

유전자는 영속성이 있고 전통적인 것을 따르고 지키려고 해.

대량 생산을 하는 공장과 비슷하다고 할 수 있지.

좋은 방향으로 혁신하기 위해서는 끊임없이 새로운 시도를 해야겠지만

한꺼번에 여러 가지를 시도한다면 공장은 엉망진창이 되어 버리고 말거야.

한 번에 한 가지씩 장단점을 확인하면서 진행해야

비로소 진정한 혁신을 할 수 있을 거야.

자연적인 돌연변이는 드물게 일어나기 때문에

생물학자들은 실험 대상에 X선이나 감마선을 쪼여 돌연변이 발생률을 증가시키기도 해.

더 많이 발생한다는 것 외에는 인공 돌연변이와 자연 돌연변이에 차이가 없어.

생물학자들은 유전학 연구에서 많이 이용하는 초파리로 실험을 해서

돌연변이가 염색체 변화로 일어난다는 것을 알아냈어.

또한 '다중 대립 유전자'가 있다는 사실도 발견했어.

보통 대립 유전자는 있다(R)/없다(r), 녹색(R)/주황(r) 등 우열 관계에 있는 두 유전자로 되어 있는데

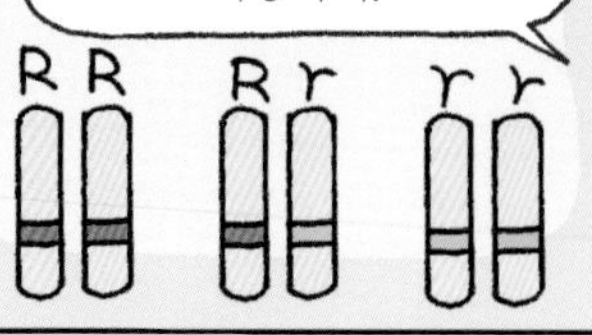

다중 대립 유전자는 선택할 수 있는 유전자가 세 가지 이상으로 되어 있어서 유전이 좀 더 복잡하게 일어난단다.

X선을 쬔 부부가 낳은 아이 중에

돌연변이가 나타나는 비율을 'X선 계수'라고 해.

돌연변이가 나타나는 비율에 대한 법칙은 아주 단순하지만 의미심장하지.

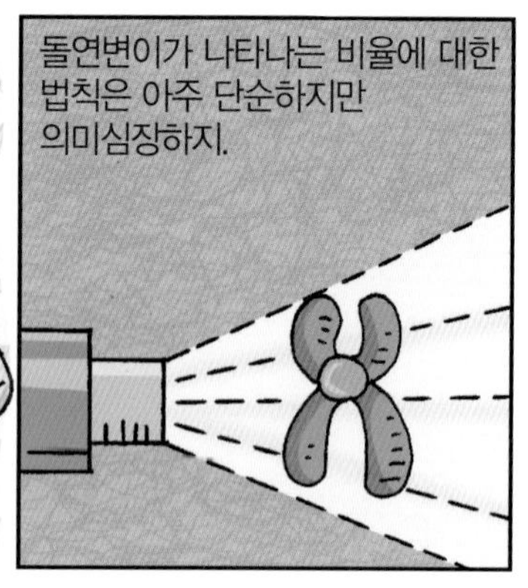

티모피예프가 1934년에 발표한 논문을 참고해 돌연변이의 법칙을 말하자면,

티모피예프(Nikolay Timofeev-Ressovsky, 1900~1981)

첫 번째 법칙, 돌연변이 증가량은 X선 투입량에 정확히 비례한다.

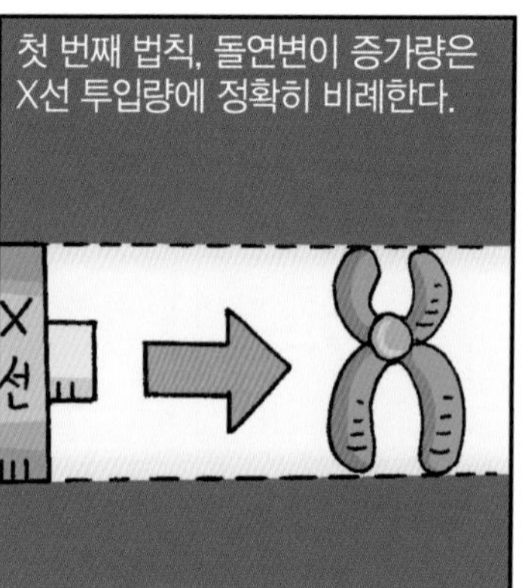

만약 X선을 쪼여 1000명 중 한 명의 자손에게 돌연변이가 생겼다면

그다음 같은 집단에 같은 양의 X선을 쪼였을 때도 1000명 중 한 명 꼴로 돌연변이가 생길 거야.

돌연변이는 염색체 한 개에 일어나는 단일 사건이거든.

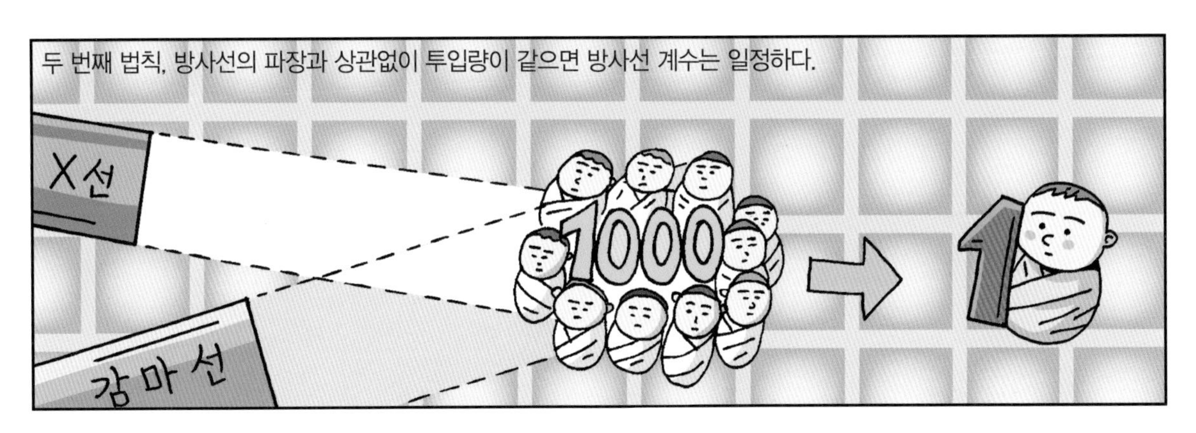

돌연변이가 일어나는 원인은 생식 세포의 *'임계' 부피 내에서 일어나는 이온화로 추측할 수 있어.

* 임계: 물리 현상이 다르게 나타나기 시작하는 경계.

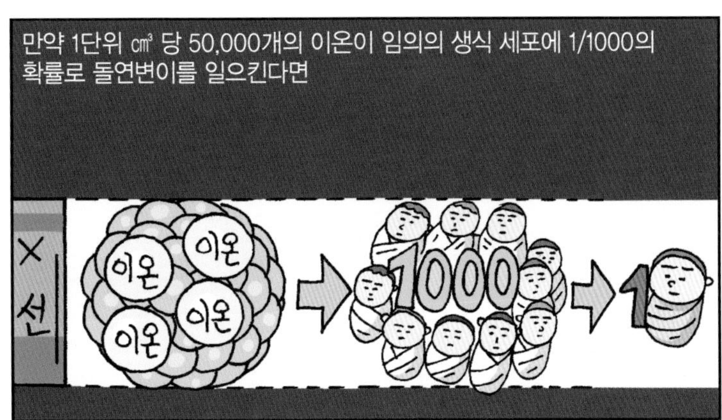

돌연변이가 일어날 확률은 1㎤의 5천만 분의 1이라는 얘기야.
$\frac{1}{1000} \times \frac{1}{50000}$

델브뤼크 외 두 명의 과학자가 1935년에 발표한 공동 논문을 보면
공동 발표 논문

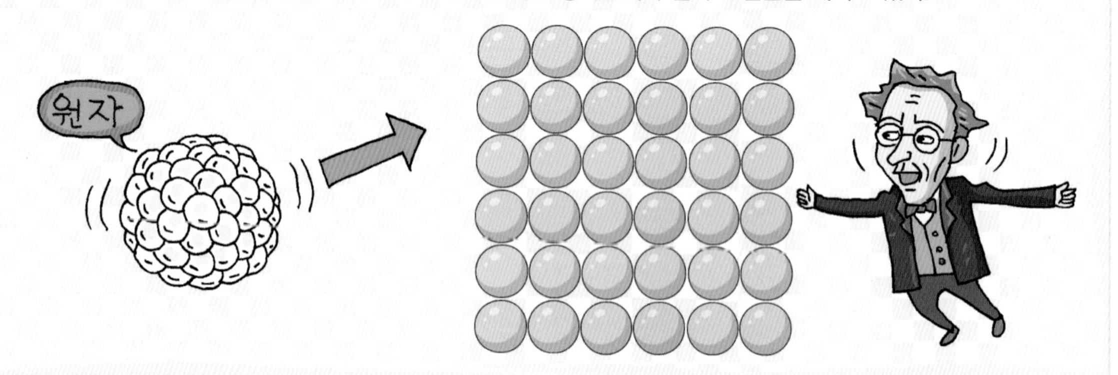
실제 임계 부피는 한 변의 길이가 원자 거리의 10배에 불과한 정육면체와 같다고 결론을 내리고 있어.
원자

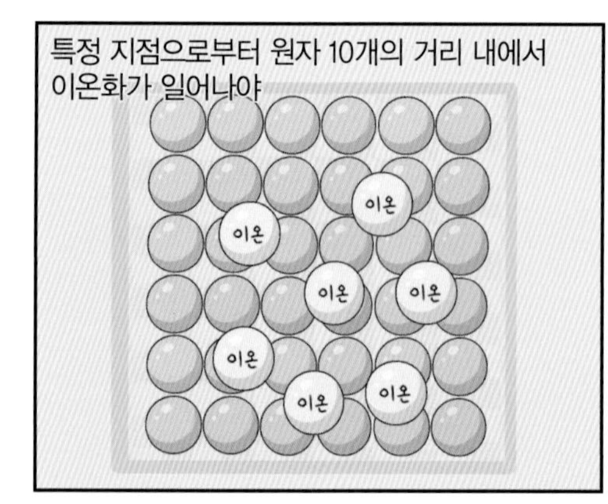
특정 지점으로부터 원자 10개의 거리 내에서 이온화가 일어나야
이온
이온
이온
이온
이온
이온
이온

돌연변이가 생긴다는 말이지.
돌연변이
이온
이온
이온
이온
이온
이온
이온

아주 짧은 거리네요.

이 내용은 다음 장에서 좀 더 자세히 살펴볼 거야.

돌연변이 연구는 우리에게 중요한 사실을
한 가지 알려 주었어.
돌연변이
연구

바로 인간이 돌연변이를 일으키는 X선, 화학 물질, 환경 호르몬 등의
위험에 노출될 기회가 많다는 사실이야.
X선
GMO

X선이 암과 불임을 유발한다는 사실은 이미 잘 알려져 있지?
X 선
암
불임

그래서 일상적으로 X선을 다뤄야 하는 의사나 간호사는
X선으로부터 몸을 보호하기 위해 납으로 된 차폐물품을
사용해.
지잉~
납

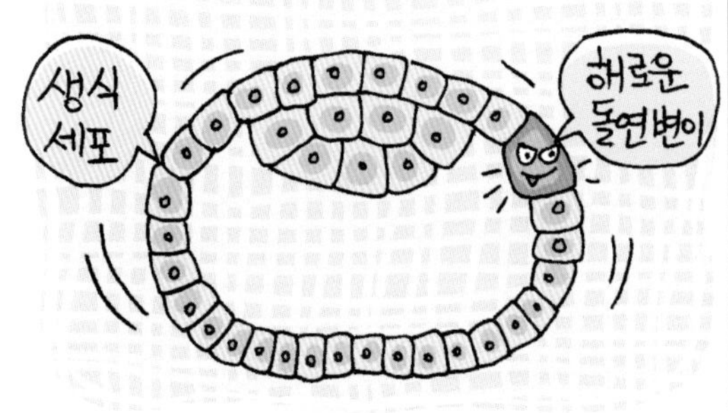
그 밖에도 우리는 자신도 모르는 사이에 X선에
간접적으로 노출되는 일이 많아.
생식
세포
해로운
돌연변이

더구나 21세기에 들어 우리 인간은 각종 화학 물질과 환경
호르몬에 무방비로 노출되어 있어.
화학 물질
환경 호르몬
쏴아아
쏴아

그러니까 잠재적 돌연변이에 의해 인류가 원치 않는 위험에
빠질 가능성이 있다는 사실을 이해하고
으아아아…

사회적으로 이 문제에 계속 관심을 기울여야 할
거야.
사회적 관심

6장

양자 역학적 증거

그대 영혼이 나타내는 빛나는 상상력의
도약은 이미지로 구체화될 것이다.
– 괴테

앞에서 유전자의 최대 크기를 추정해 봤는데,
한 변이 300Å인
정육면체라고 했지?
300A°

X선을 이용해 정밀 측정을 한 결과 유전자는
그것보다도 훨씬 작은 크기라는 걸 알게 됐어.
X
선

유전자는 겨우 1000개 정도의
원자들로 구성된 것 같은데?
1000

적은 수의 원자로 이루어진 유전자가 영속성을 가지고 규칙적으로 작용하는
것이지.
아주 많은 원자들이 행동할 때 규칙이
나타난다는 말을 무시하고 있잖아?
발 맞추어 가!
척
척

'합스부르크 입술'이라고 들어 봤니?

이 독특한 유전 현상이 어떻게 나왔는지를 과학자들이 합스부르크 왕조의 후원을 받아 연구했는데

연구 결과 아랫입술이 나온 원인이 입술 형태에 대한 대립 유전자 때문이라는 게 밝혀졌어.

왕가의 초상화만 봐도 16세기부터 19세기까지 몇 백 년을 내려오는 동안

독특한 형태의 입술 유전자가 다음 세대로 전달된 것을 알 수 있어.

셀 수 없이 많은 세포 분열을 하며 독특한 입술 형태가 충실하게 재생산된 거지.

이 유전자도 원자 수가 1000개 내외에 불과했을 테고

유전자의 온도는 늘 36.5도를 유지했을 거야.

21세기 들어서야 다양한 화학 결합의 원리가 밝혀져서 분자뿐 아니라 여러 물질의 특성을 이해할 수 있게 되었지.

Cl Cl 공유결합

Na+ Cl⁻ 이온결합

H H O H H O 수소결합

고등 화학

생물학적인 수수께끼를 잘 알려지지 않은 화학적인 수수께끼로 설명한다는 점에서 내 추론의 타당성이 좀 떨어질 순 있어.

생물 학적
수수께끼
유전자의 연속성

화학적 수수께끼
분자를 이루는 원자 간 결합

훗날 크릭은 이런 말을 할 정도였지.

한 사람이 최신 생물학과 화학까지 섭렵하며 지식에 정통하기는 어려워.

생물학
화학

내 의견을 비판하면서 토론하고 탐구를 한다면 올바른 방향으로 한걸음 나아갈 수 있을 거야.

내 전문 분야가 바로 양자 이론이잖아.
척
양자이론 전문

유전 메커니즘은 양자 이론에 기반을 두고 있어. 두 이론의 탄생은 시기도 거의 비슷해.
쿵
유전 메커니즘
양자이론

양자 이론은 1900년에 막스 플랑크가 발견했고,
양자 이론.
막스 플랑크
(Max Planck, 1858~1947)

현대 유전학 역시 같은 시기에 멘델의 논문이 재발견되고 돌연변이에 관한 드 브리스의 논문이 발표되면서 탄생했지.
멘델의 법칙
1900년 재발견
돌연변이 논문
1901년

1900년대
막스 플랑크 양자이론
멘델의 법칙 재발견
드 브리스 돌연변이 논문
연관성
두 이론이 어느 정도 성숙한 후에 비로소 연관성이 드러난 거야.

1926년에 이르러서야 하이틀러와 런던이 화학결합의 원리를 밝히면서
하이틀러(Walter Heinrich Heitler, 1904~1981)
런던(Fritz Wolfgang London, 1900~1954)
화학 결합의 원리

원자들의 결합을 양자 이론으로 설명했어.
탁
탁
탁
아무래도 이건….
탁

모두 설명하려면 또 한 권의 책을 써야 하니까 자세한 내용은 생략해야겠다.
삭
삭

다행히 양자 이론은 이미 잘 정의되어 있어서
휴
휴
휴

기본 원리만 알고 넘어가도 충분할 것 같아.

하이틀러-런던 이론이 말하는 분자 형성의 원리를 살펴보자.

양자 이론의 가장 큰 업적은 연속적이라고 생각했던 자연에서 불연속성을 발견한 거야.
양자 이론
불연속성

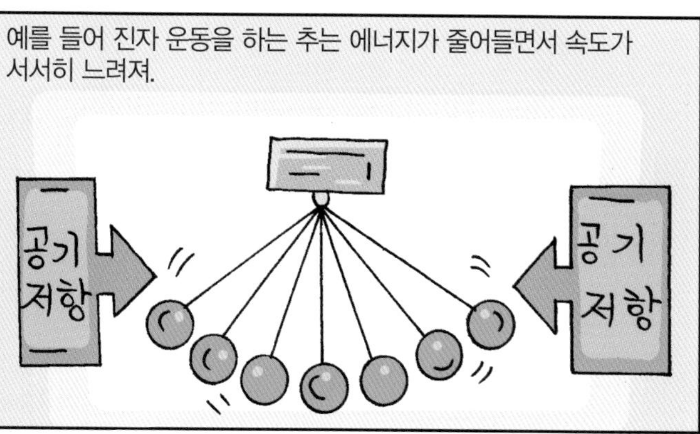
예를 들어 진자 운동을 하는 추는 에너지가 줄어들면서 속도가 서서히 느려져.
공기 저항
공기 저항

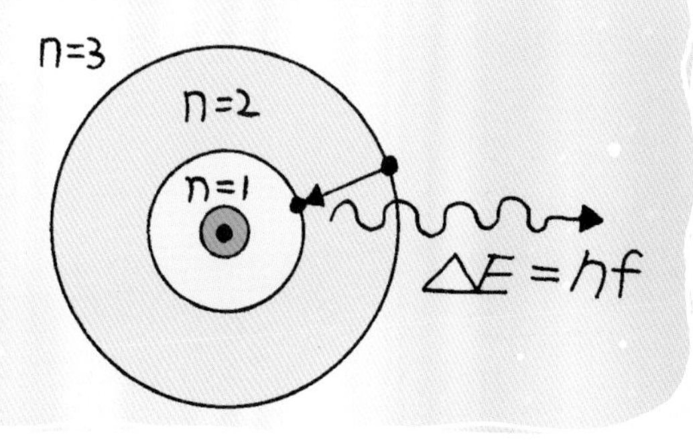
그런데 원자와 같은 규모의 세계에서는 달라. 불연속적인 에너지양만 존재한다고 생각해야 돼.
n=3
n=2
n=1
ΔE=hf

여기서 연속성은 서서히 변화가 일어나는 것이고, 불연속성은 갑자기 변화가 일어나는 거야.

* 전이(轉移): 양자 역학에서 입자가 어떤 에너지의 정상 상태에서 에너지가 다른 정상 상태로 옮겨 감. 또는 그런 일.

그런데 원자 규모에서는 운동 상태도 불연속적으로 변해.

몇 가지 '상태들' 가운데 하나를 선택할 수밖에 없지.
음…, 뭐로 하지?
우리 상태를 잘 봐.

'상태'라는 건 어떤 시스템을 이루는 모든 입자들의 배열을 의미하는데

에너지가 하나의 시스템을 만드는 매우 중요한 요소이기 때문에
에너지!

일반적으로 앞서 말한 상태를 '에너지 준위'라고 불러.
에너지 준위

양자 뛰어넘기를 할 때 현 상태보다 다른 상태의 에너지 준위가 높다면
저기로 가고 싶은데…

최소한 두 상태의 에너지 차이만큼의 에너지가 외부로부터 공급되어야 전이할 수 있단다.
파워 업!

현 상태보다 더 낮은 준위로의 전이는 자발적으로 일어날 수 있지.
가만히 내버려 두면 돼.
쏙-

이때 남는 에너지는 복사파로 방출돼.
복사파

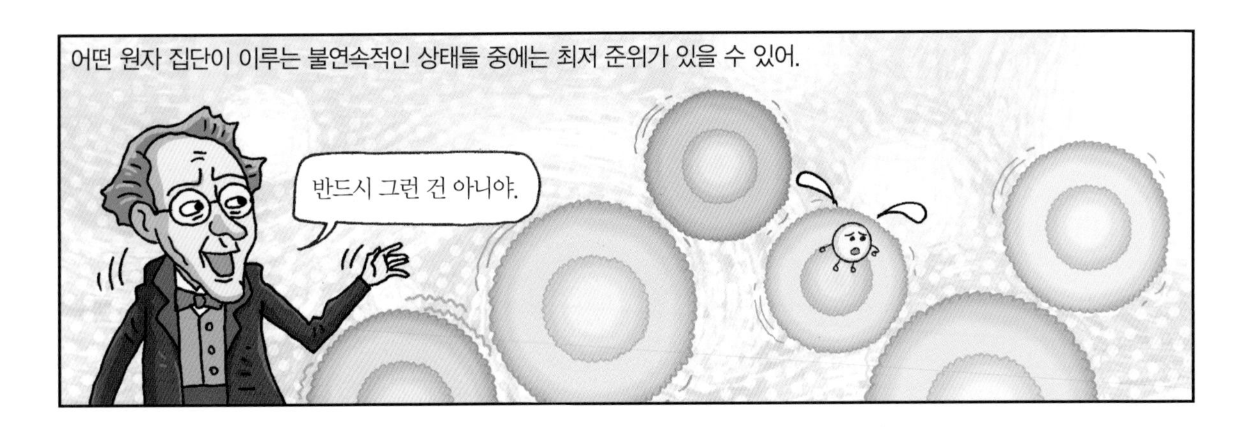

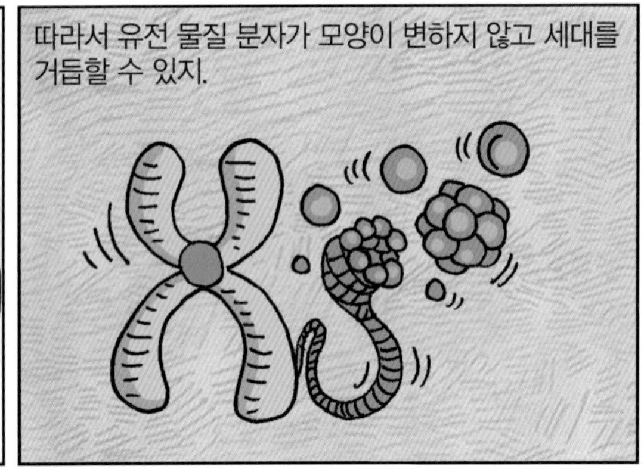

지금까지 말한 하이틀러-런던 이론은 원자가와 분자 구조, 분자의 결합 에너지, 다양한 온도에서의 안정성 등을 성공적으로 설명하고 있지.

온도가 높을수록 끌어올림이 일어날 가능성이
증가하겠지.

몸을 덥혔으니...
운동 좀 해볼까?

톡-

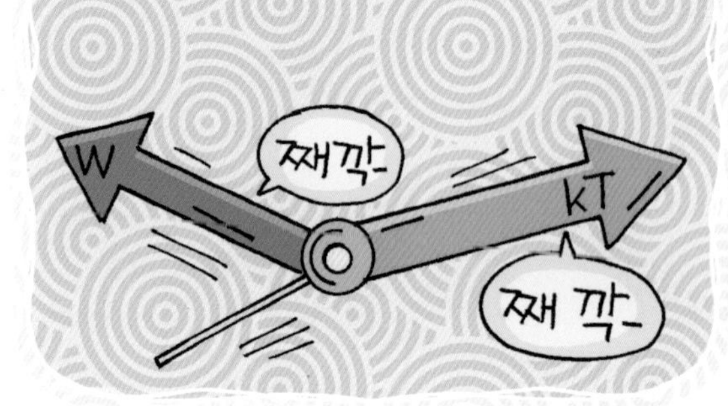

평균 열에너지보다 끌어올림에 필요한 에너지가 클수록 기대 시간이 길어지는데

기대 시간이 크게 차이 나는
이유가 뭘까요?

오호, 그 질문이
나올 것 같았어.

수학으로 보여 주면
좋을 것 같군.

기대 시간(t)은 지수함수로서 에너지 비율(W/kT)에
의존하기 때문이거든.
t=Te^W/kT
척-

T는 10^-13~10^-14의
아주 작은 상수
무리수e=2.718281828...
t=Te^W/kT

지수함수?

y=a^x 관계일 때

지수인 x가 10배만 달라져도 결과값 y는 굉장히 많이 달라지는
함수이지.
2^1=2, 2^10=1024,
2^20=1048576

자, 다시 본론으로 돌아가
보도록 하자.
휴-
휴-

온도가 올라가서 양자 뛰어넘기가
일어나면

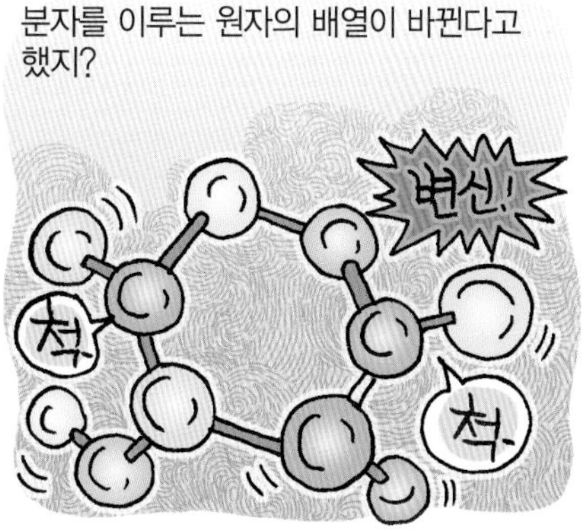
분자를 이루는 원자의 배열이 바뀐다고
했지?
변신!
척
척-

화학자들은 이를 '이성질체'가 만들어진다고 표현해.

```
    H   H   H   H              H     H     H
    |   |   |   |              |     |     |
H - C - C - C - C - H   ➡   H - C  -  C  -  C - H
    |   |   |   |              |     |     |
    H   H   H   H              H     |     H
                                 H - C - H
                                     |
                                     H
```

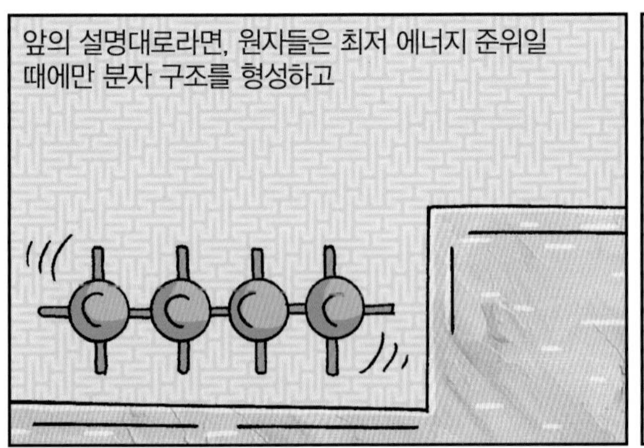

이쯤에서 내 의견을 보완할 필요가 있겠구나. 첫 번째는 '원자 진동으로 생기는 미세 구조'의 준위를 무시하도록 하자.
무시

'다음 단계의 높은 준위'라는 말은 중요한 배열 변화가 일어나는 준위라고 생각하렴.
변신

두 번째 보완점은 설명하기가 훨씬 어려워.
후-
긴장을 풀고….
왜 저래?

두 준위 사이에서의 전이는 에너지 차이에 상관없이 막힐 수 있단다.
봉쇄!
심지어 높은 준위에서 낮은 준위로의 전이도 막을 수 있어.

아까 언급한 이성질체 기억나니?
동일한 원자 집단이 하나 이상의 방식으로 결합하여 형성된 분자들!

이성질체의 형성은 예외가 아니라 당연하고 자연스러운 규칙에 따른 것이야.

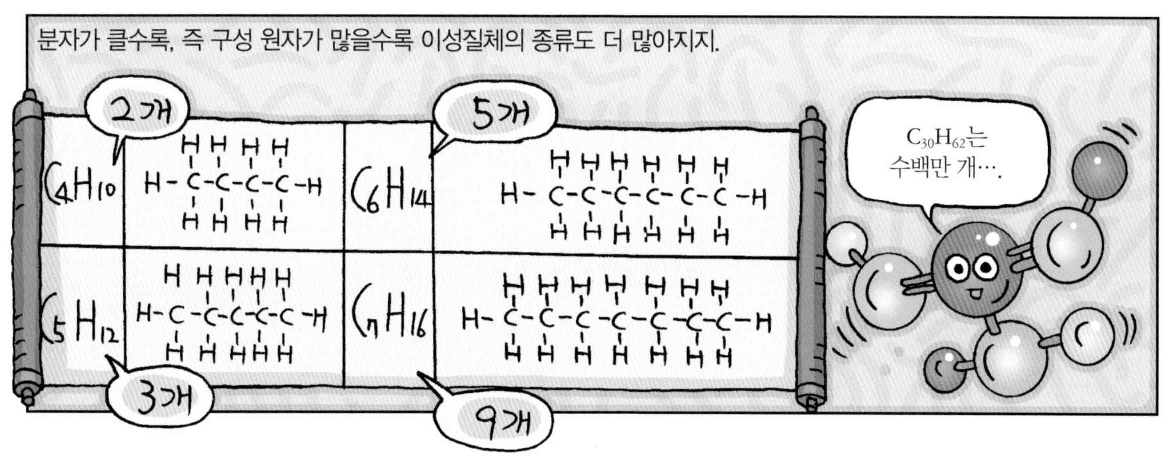
분자가 클수록, 즉 구성 원자가 많을수록 이성질체의 종류도 더 많아지지.
2개
C4H10
5개
C6H14
C5H12
3개
C7H16
9개
C30H62는 수백만 개….

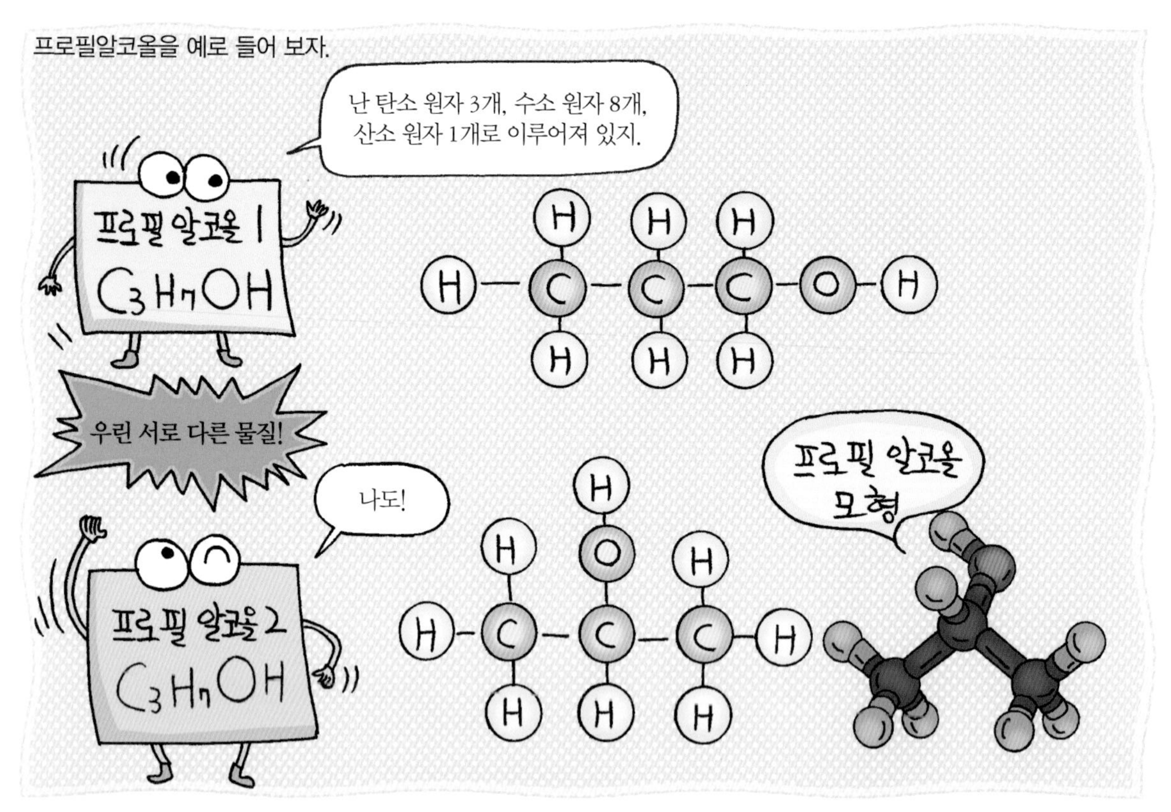

프로필알코올을 예로 들어 보자.
난 탄소 원자 3개, 수소 원자 8개, 산소 원자 1개로 이루어져 있지.
프로필 알코올 1
C_3H_7OH
우린 서로 다른 물질!
나도!
프로필 알코올 2
C_3H_7OH
프로필 알코올 모형

이성질체는 물리적·화학적 성질이 전혀 달라.
전혀 달라.

에너지 준위 또한 다르지.

그럼에도 두 물질 모두 마치 자신이 '최저 준위'인 듯이 행동해.
완벽하게 안정적이야.

한 상태에서 다른 상태로 자발적인 전이가 일어나는 일도 없어.
편한데 왜 움직여?

왜냐하면 프로필알코올1에서 프로필알코올2로 바뀌려면 산소 원자의 위치가 바뀌어야 하는데

산소원자 자리바꿔!

후욱-

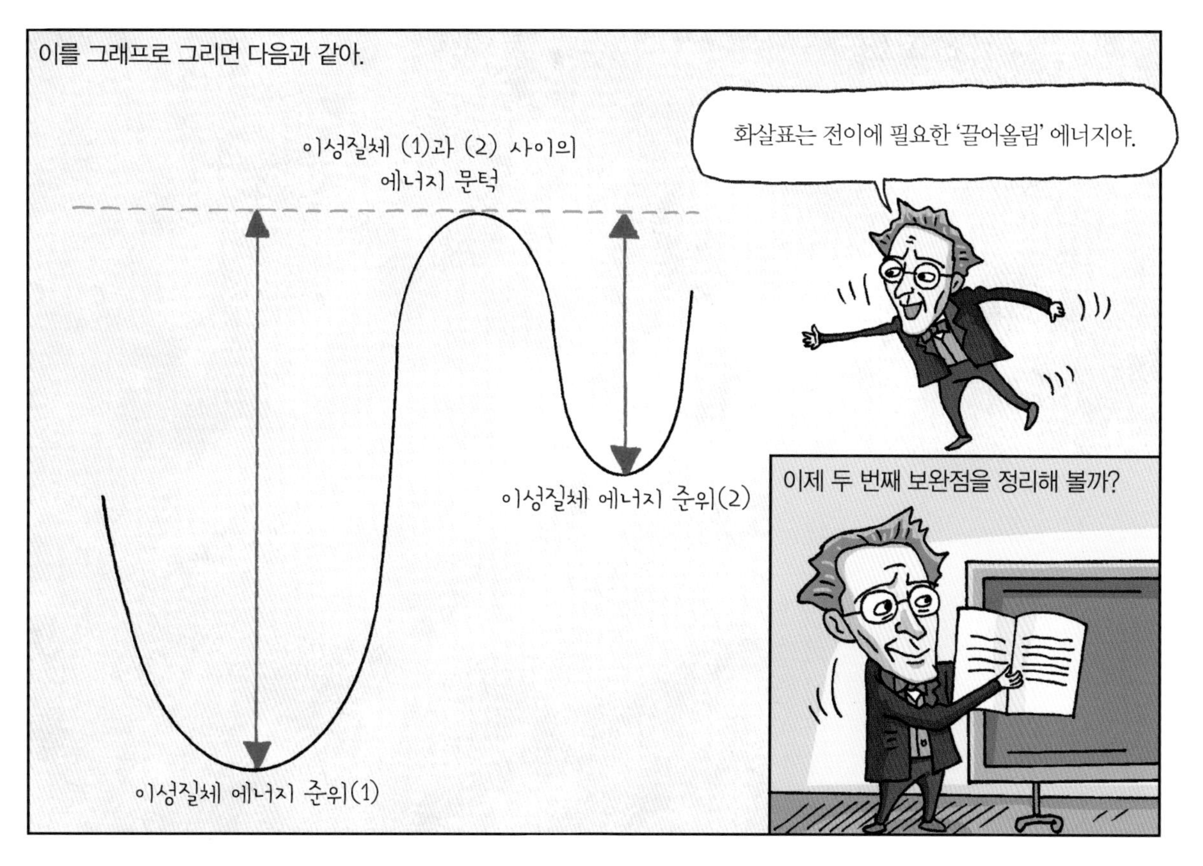

따라서 '양자 뛰어넘기'라는 말은 두루 쓰일 수 있지만,
팟!

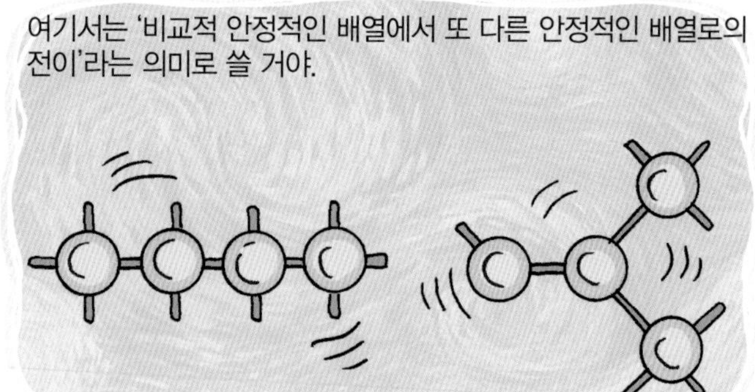
여기서는 '비교적 안정적인 배열에서 또 다른 안정적인 배열로의 전이'라는 의미로 쓸 거야.

또한 전이에 필요한 에너지 공급량(W)은
슈우우-
W

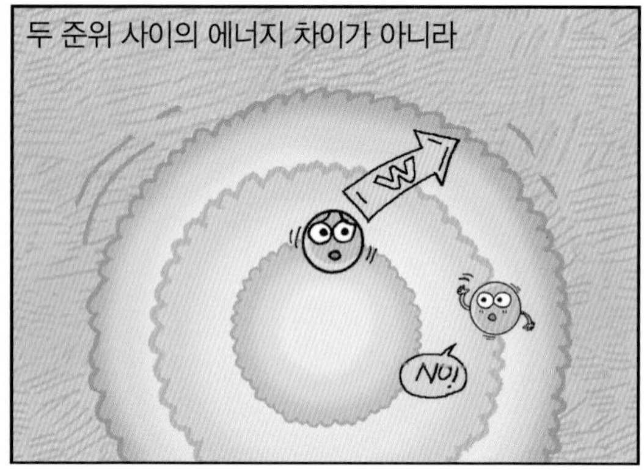
두 준위 사이의 에너지 차이가 아니라
W
NO!

처음 준위에서 문턱까지의 에너지 차이가 되겠지.
전이를 위한 에너지
W

물론 에너지 문턱이 없는 전이들도 있어.
전이 성공!

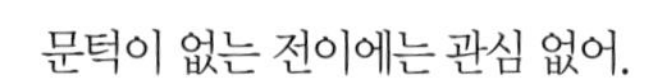
문턱이 없는 전이에는 관심 없어.

왜?

전이가 일어나더라도 오래가지 못하거든.
우왁!
팅-

문턱이 없는 경우 낮은 준위에서 높은 준위로 전이가 일어나면 거의 즉각적으로 원상복귀하지만
악!
뎅!

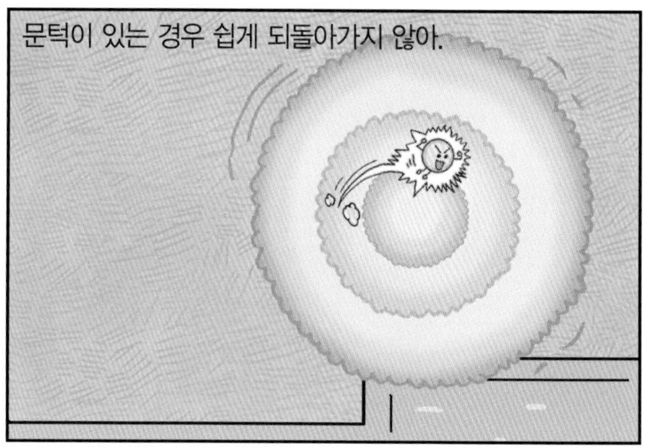
문턱이 있는 경우 쉽게 되돌아가지 않아.

원래의 상태로 되돌아가려면 문턱까지의 에너지가 또 필요해서야.
쉽게 못보낼걸.

낮은 준위에서 높은 준위로 전이하는 데 필요한 에너지보다 적더라도 난 가지 않을래.

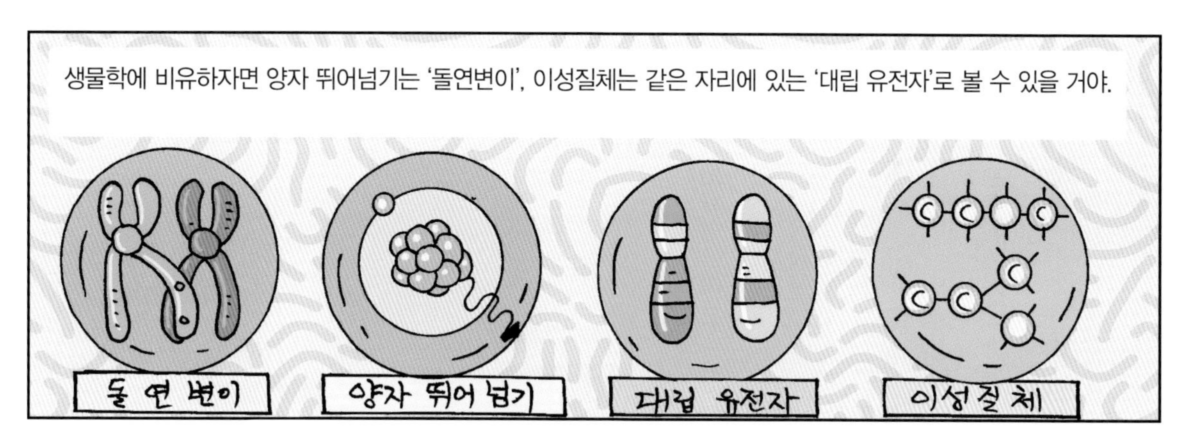
생물학에 비유하자면 양자 뛰어넘기는 '돌연변이', 이성질체는 같은 자리에 있는 '대립 유전자'로 볼 수 있을 거야.
돌연변이
양자 뛰어넘기
대립 유전자
이성질체

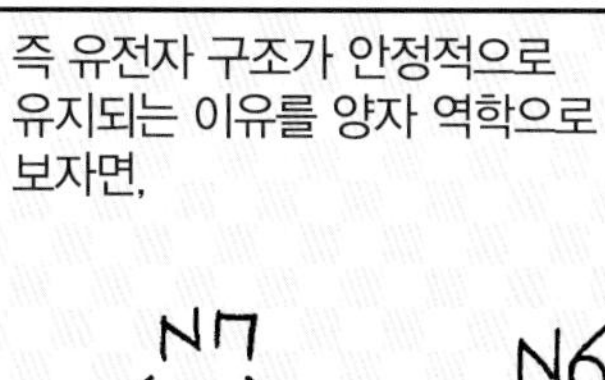
즉 유전자 구조가 안정적으로 유지되는 이유를 양자 역학으로 보자면,

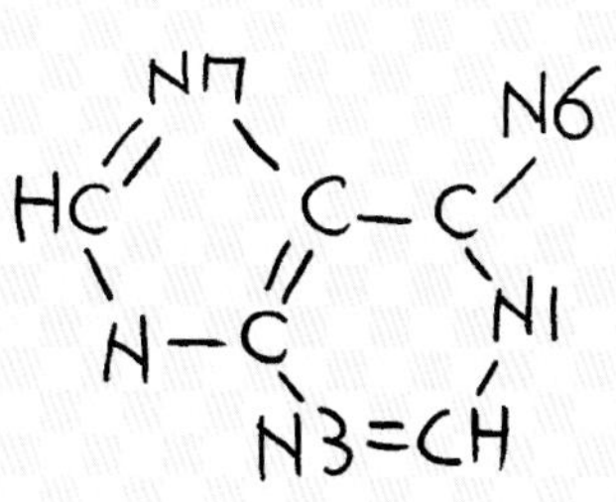
N7
N6
HC
C–C
N1
N–C
N3=CH

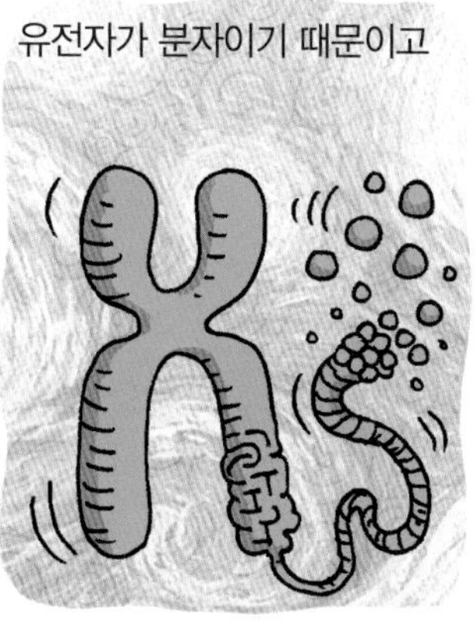
유전자가 분자이기 때문이고

분자들 간 에너지 문턱이 있어서 전이가 쉽게 일어나지 않는다는 것이지.

7장 델브뤼크 모델에 대한 논의와 검증

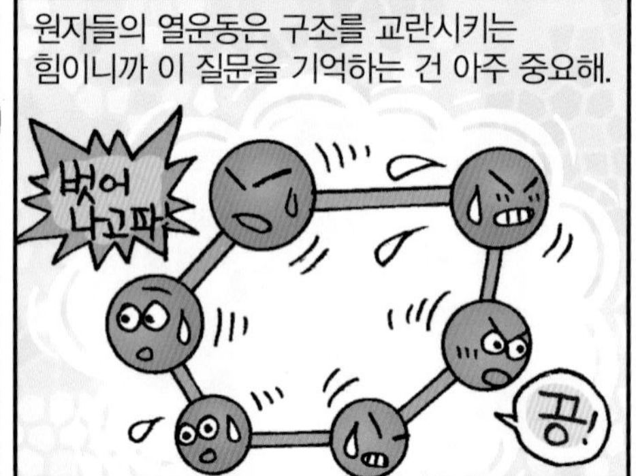

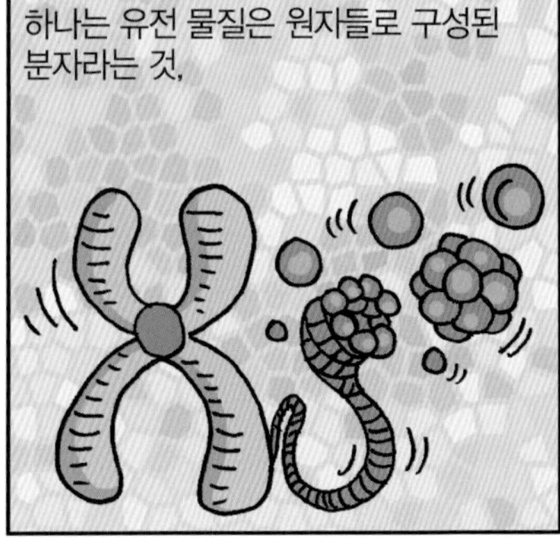

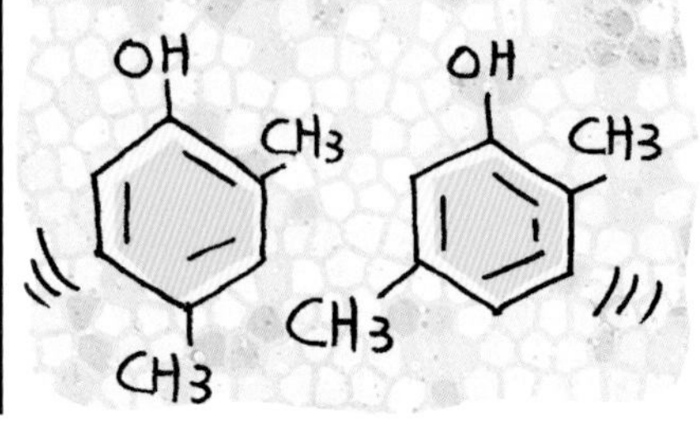

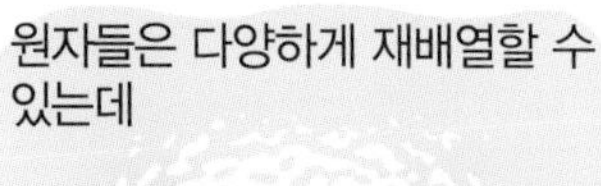

페르츠(Max Ferdinand Perutz, 1914~2002)

사실 유전 물질의 변이에 영향을 미치는 요인은 아주 다양해.
돌연변이

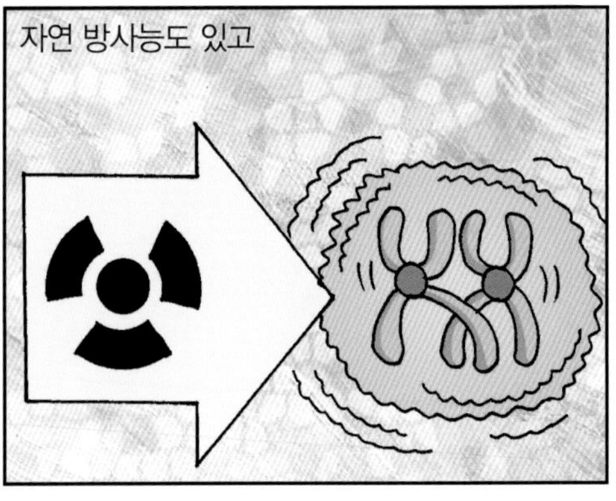
자연 방사능도 있고

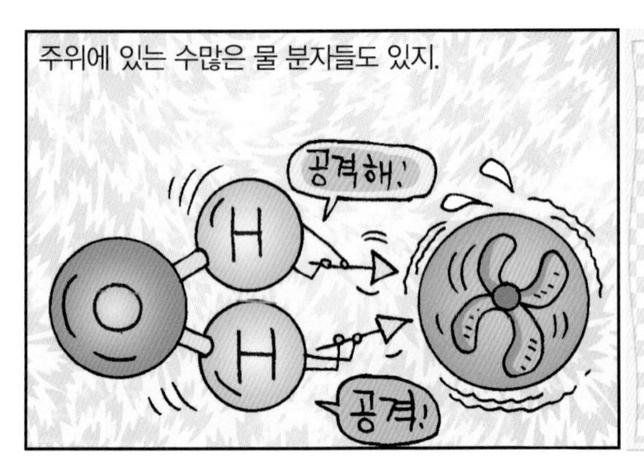
주위에 있는 수많은 물 분자들도 있지.
공격해!
H
O
H
공격!

유전 물질 분자와 그걸 합성하는 효소들의 상호 보완적 결합도 변이에 중요한 영향을 미쳐.
효소들은 효소단백질마다 담당 분자가 있어서 그것하고만 결합하고 운반할 수 있어.
분자
효소 단백질

이와 관련해서 1930년대 후반부터 많은 연구가 이뤄졌어.

델브뤼크도 폴링과 함께 1940년에 효소 작용의 중요성을 밝힌 논문을 내면서
허먼 멀러(Hermann Joseph Muller)
자연방사능 (복사)-유발 돌연변이
홀데인(John Burdon Sanderson Haldane)과 폴링(Linus Carl Pauling)
효소단백질 효소합성 등 연구

본인의 초기 모델을 수정했단다.
더 좋아 보이는데….

잘못된 건 고쳐야지.

나도 델브뤼크와과 나눴던 흥미진진한 토의와

그가 동료들과 함께 발표했던 예전 논문을 바탕으로 유전 물질의 특성에 대한 생각을 전개하면서 오류가 생겼던 것 같아.

업데이트에 게을렀다고나 할까.

당시 양자 역학의 기본이 거의 완성되었던 시기라
21세기에도 변하지 않을 우주의 섭리니까.
양자 역학 완전정복

양자 역학에 기반하고 있는 델브뤼크의 모델이 확고할 것이라고 생각했던 점도 있었어.
델브뤼크 모델
품질 보증
양자역학
델브뤼크라면 정석이지….

참 섣부른 판단이었지. 여기에 푹 빠져서….

강연을 할 때 최신 생물학 논문들을 찾아 읽고 준비했더라면 좋았겠지만

어쨌든 물리학으로 생물학을 이해하려는 초창기의 시도 정도로 이해해 줘.
흠흠, 이런 과정을 거치면서 과학 이론이 발전하는 거야.
물리학
생물학

먼저 델브뤼크 이론의 성격과 토대를
살펴보자.
레디~ 고!

생물학적 의문을 해결하기 위해 양자 역학에 기초해서 이론을 세우는
게 반드시 필요한 일이었을까?
양자 역학

물론이지!
델브뤼크의 모델

유전자가 분자라는 추측은 이제 상식이야.
유전자는
분자!

양자 역학에 익숙하든 익숙하지 않든 거의
모든 생물학자가 이 부분에는 동의할 거야.
유전자는 분자!

이성질체, 에너지 문턱, 이성질체 전이 가능성 결정 등에 대해서도 굳이
양자 이론을 끌어들이지 않아도 설명할 수 있어.
W/kT
전이가능성 결정
이성질체
에너지문턱

그렇다면 이 작은 책에서 양자 이론을 명쾌하게
설명하지도 못하면서
양자 이론이란….
하아품
Z

왜 이토록 강력하게 양자 역학적인 관점을 강조하느냐고?
양자 역학

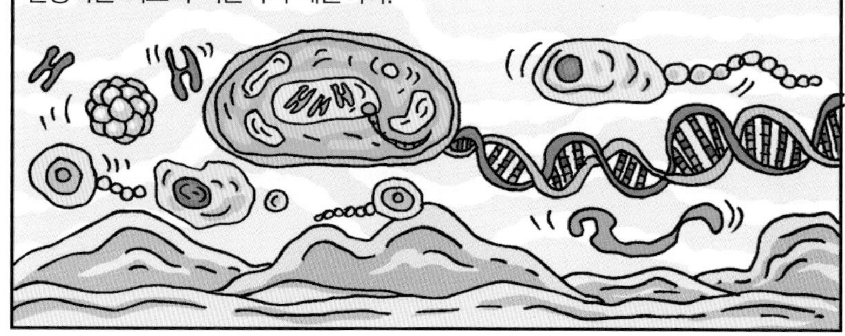
왜냐하면 양자 역학은 자연에 있는 모든 종류의 원자 집단을 근본 원리부터 설명하는 최초의 이론이기 때문이야.

세상의 모든 물질은 원자로 되어 있잖아.

따라서 양자 역학적인 관점은 우리가 상식으로 받아들이는 사실들의 기반을 튼튼하게 만들어 줘.
분자
이성질체
진이
양자역학

그러니 델브뤼크의 이론이 의미있는 거야.
양자 역학을 기반으로 하잖아.
이 연사, 강조하고 또 강조하며 외칩니다!
이제 본격적으로 설명할게.

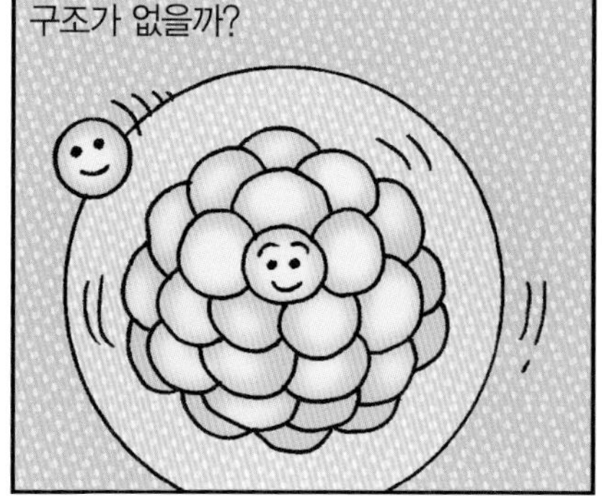
정말 분자 외에는 원자로 구성된 단단한 구조가 없을까?

수천 년 동안 무덤 속에 있던 금화요.

물론 금화는 아주 많은 원자를 포함하고 있지.
번쩍
번쩍

그러나 이것은 단순하게 모양만 보존했을 뿐이야.

광물 결정도 마찬가지지.

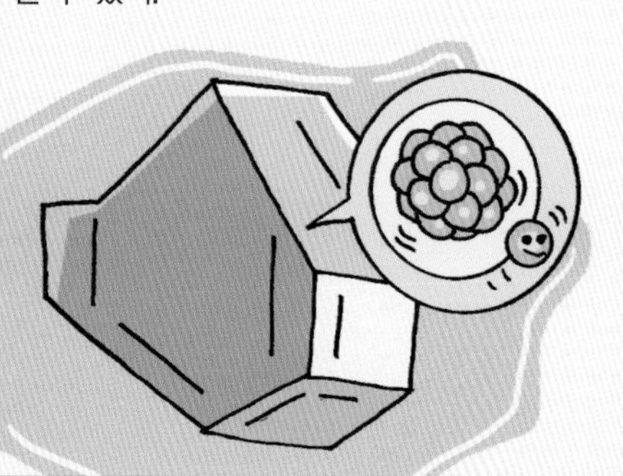
분자와 고체의 결정은 실질적으로 동일하다고 할 수 있어.

그런데도 학교에서는 이해를 흐려놓는 전통적인 견해들을 가르치고 있지.

학교에서 분자에 대해 배운 것을 떠올려 보면,

분자가 기체나 액체보다 고체 상태에 더 가깝다고 생각하기 어려울 거야.

오히려 융해나 기화같이 분자가 그대로 유지되는 물리적 변화와

연소와 같이 반응 전후에 분자가 달라지는 화학적 변화를 구분하는 것만 배우지.

또한 결정은 3차원적인 주기적 격자를 이루고 있는데

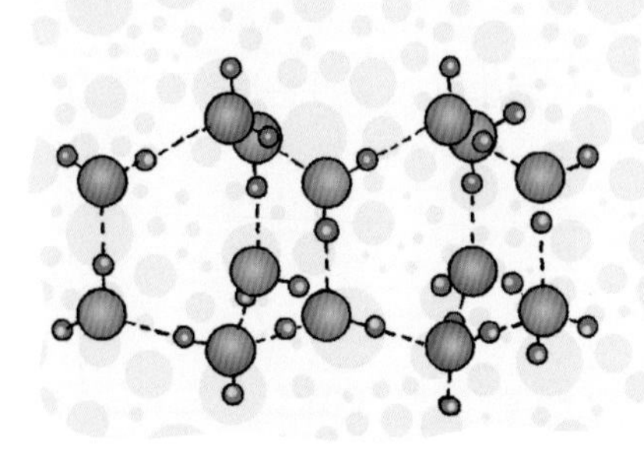

암염(NaCl)처럼 어떤 원자 쌍을 분자로 볼지 확정하기 어려운 결정에 대해서도 배우고,

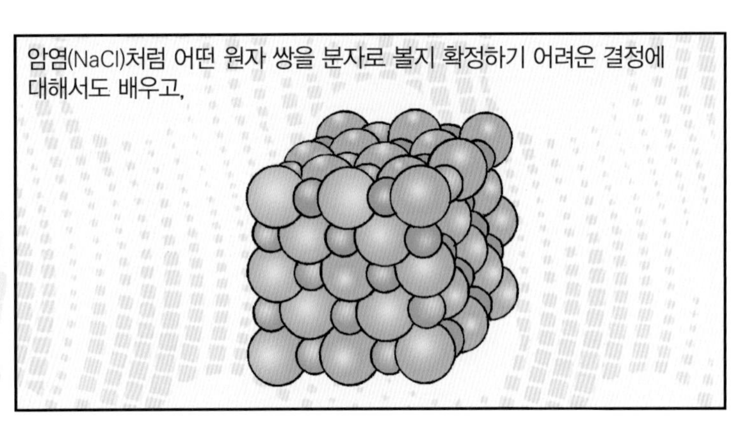

고체는 결정과 비결정으로 구분할 수 있다고 배우지.

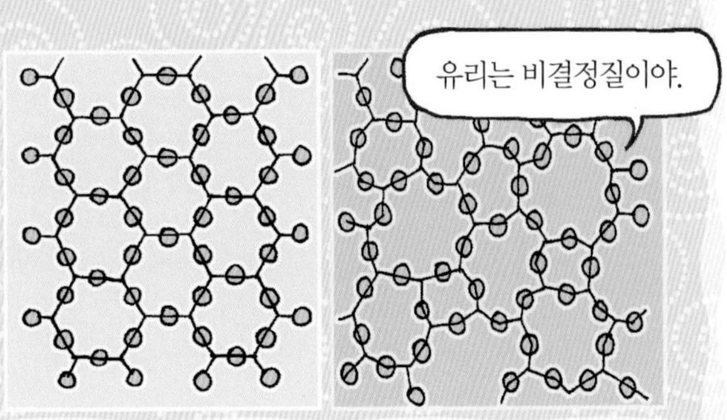

이런 내용이 완전히 틀렸다고 말하려는 건 아니야.

하지만 물질의 참모습을 고려한다면 전혀 다른 방식으로 경계를 구분해야 한다고 생각해.

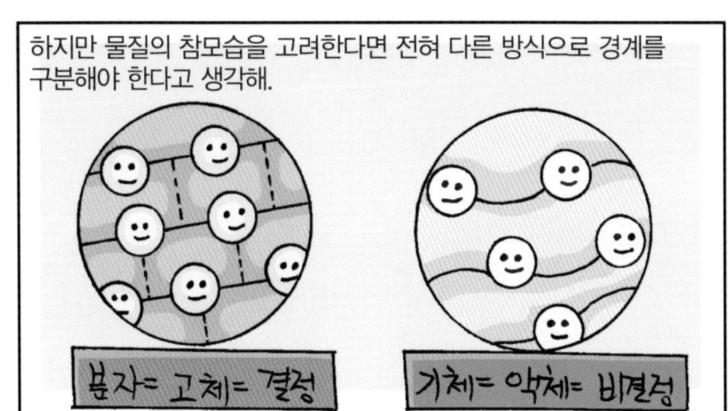

일반적으로 목탄은 '비결정'으로 분류하는데

X선으로 관찰한 결과 흑연 결정 구조임이 밝혀졌어. 그러므로 목탄은 고체이고 또한 결정이라고 할 수 있어.

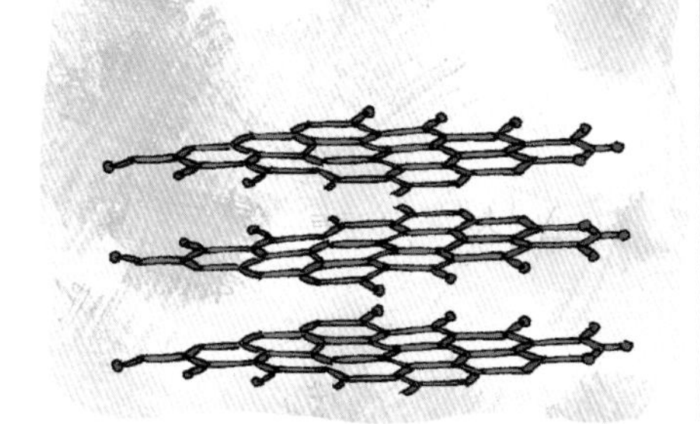

결정 구조를 발견할 수 없는 물질의 경우 그 물질은 '점성'(내적인 마찰력)이 매우 높은 액체로 봐야 한다고 생각해.

녹는점이 없다는 것도 고체가 아니라는 증거가 될 수 있지.

결정 구조를 발견할 수 없는 물질을 가열하면 물질은 점차 부드러워지다가 액체가 돼.

그러므로 액체와 구분되는 고체의 특징은 결정이라고 할 수 있지.

상대적으로 기체와 액체 사이에서는 불연속성 없이 액화나 기화가 일어나.

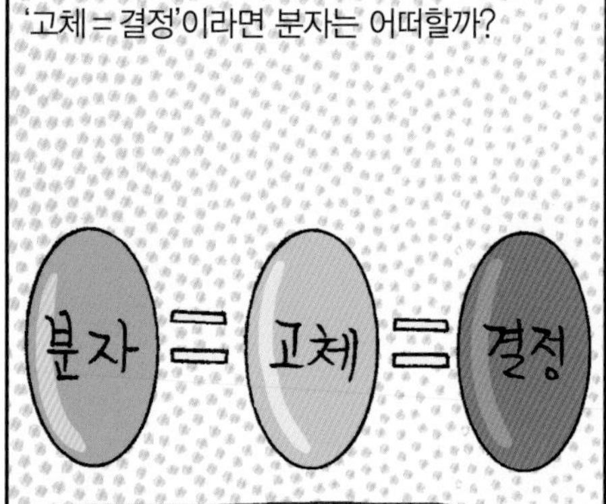
'고체 = 결정'이라면 분자는 어떠할까?
분자 = 고체 = 결정

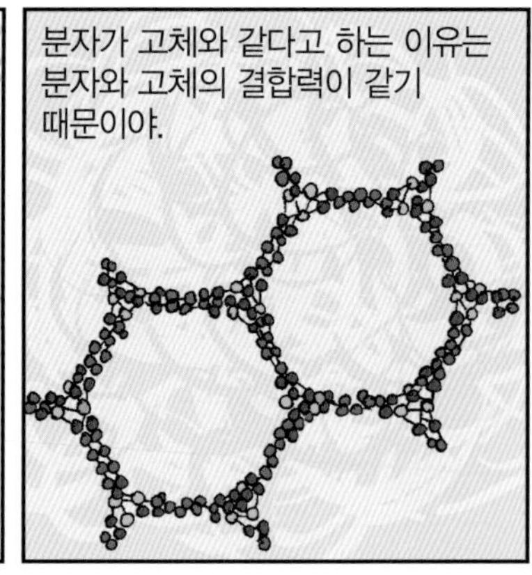
분자가 고체와 같다고 하는 이유는 분자와 고체의 결합력이 같기 때문이야.

그래서 분자는 결정처럼 구조적으로 견고하지.

유전자의 영속성을 분자의 견고성에 기대어 설명하고 있다는 걸 기억해.

물질의 구조는 원자들이 '하이틀러-런던 힘'들로 결합되어 있는지 아닌지로 구분할 수 있어. 하이틀러-런던 힘은 일종의 공유결합력이고, 매우 견고하지.
고체와 분자는 모두 하이틀러-런던 힘으로 결합!

원자 간 결합이랑 분자 간 결합의 힘은 다른데요?
고체를 만드는 결합력의 종류가 얼마나 많은데….
이온 결합, 공유 결합, 분산력….

내가 살던 시대에 지식의 한계야.

그땐 원자 간 결합력은 '하이틀러-런던 힘'밖에 없는 줄 알았어.
그걸 전제로 하자.

작은 분자는 '고체의 생식 세포'라고 할 수 있어.
고 체

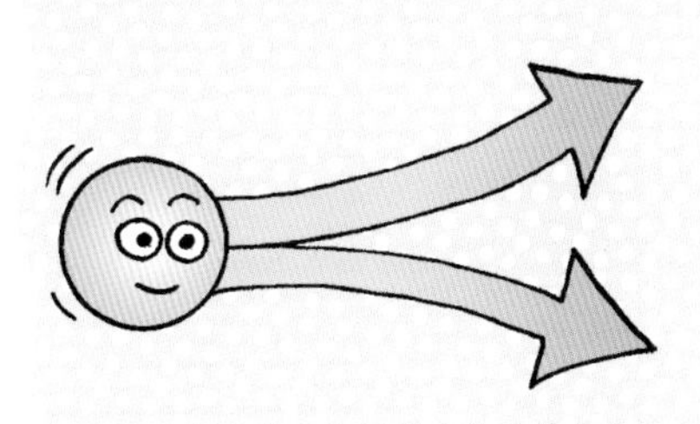
작은 분자에서 시작하여 큰 연합체가
형성되는 방식은 두 가지야.

하나는 동일한 구조를 3차원적으로 계속 반복하는 단조로운 방식이야.
결정은 이 방식으로 성장하지. 일단 주기성이 확립되면 무한정 커질 수도
있어.

또 다른 방식은 구조를 반복하지 않고
더 큰 연합체를 형성하는 거야.

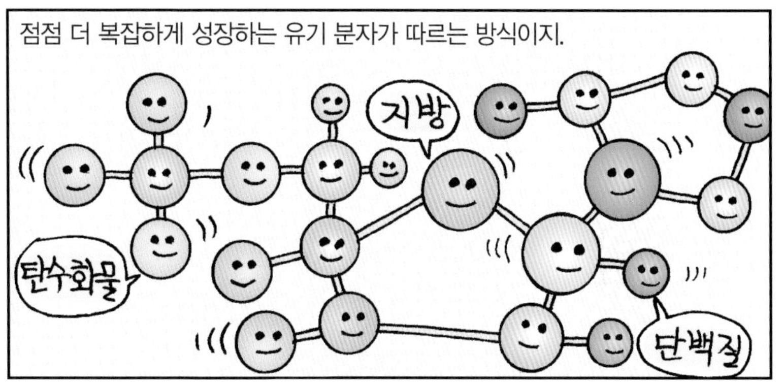
점점 더 복잡하게 성장하는 유기 분자가 따르는 방식이지.
지방
탄수화물
단백질

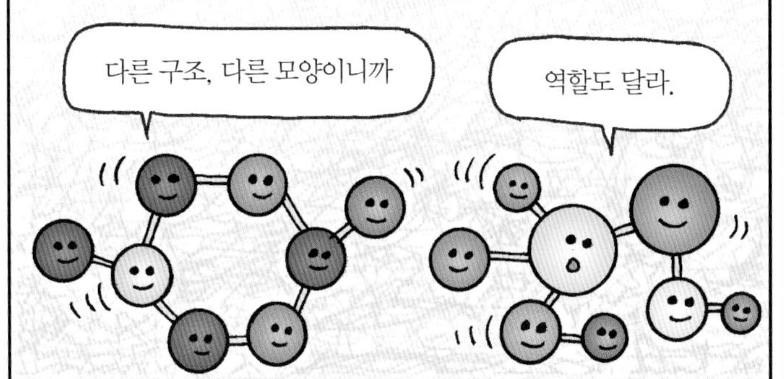
유기 분자 속에서 원자와 원자 집단은 각각 조금씩 다른 역할을 해.
다른 구조, 다른 모양이니까
역할도 달라.

자, 이제 유전 물질에 대해 확실한 특징 하나를
유추할 수 있겠지?

유전자는 비주기적 고체라는 거야!
유전자도
유기 분자일 테니까.
이 책을 통틀어
가장 중요한 명제야!
밑줄 쫙, 별표 5개!
유전자는 비주기적 고체

우리가 가장 궁금해하는 것 중 하나는 이거야.
수정란의 핵과 같은 작은 물질 안에
어떻게 유기체의 성장과 발달에 관한
복잡한 암호문 전체가 들어 있을까?

두 종류의 모스 기호를 4개 이하로 묶어 질서 있게 조합하면 30개의 서로 다른 부호를 얻을 수 있어.

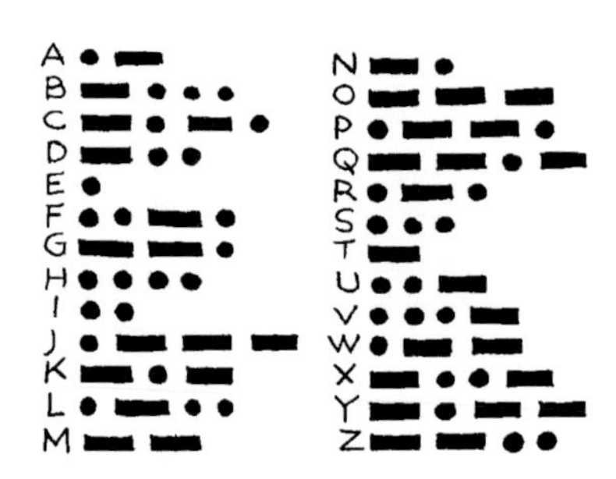

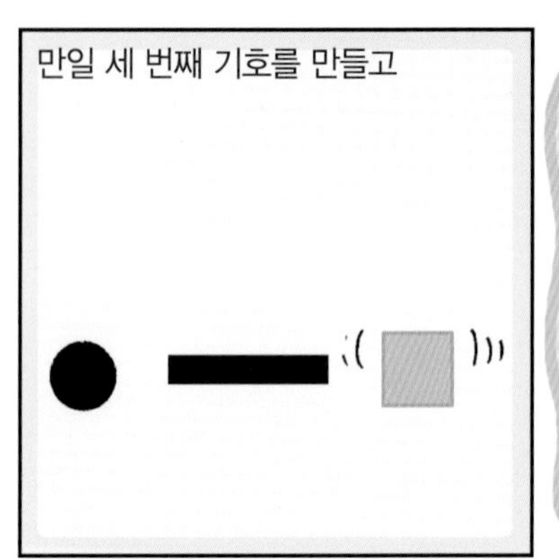

기호들을 10개까지 조합한다면 88,572개의 서로 다른 '문자'를 구성할 수 있지.

88,572

5종류의 기호를 쓰고 25개까지 조합하면 무려 372,529,029,846,191,405개의 부호가 된다고!

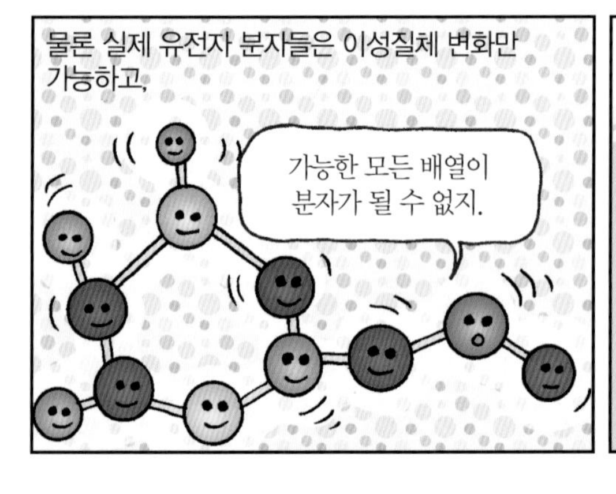

더 나아가 유전 암호문은 그 자체로 각종 생명 현상을 일으키는 역할을 하기 때문에 유전자 분자들을 임의로 조합된 기호들에 비유하는 것은 부적절할 수 있어.

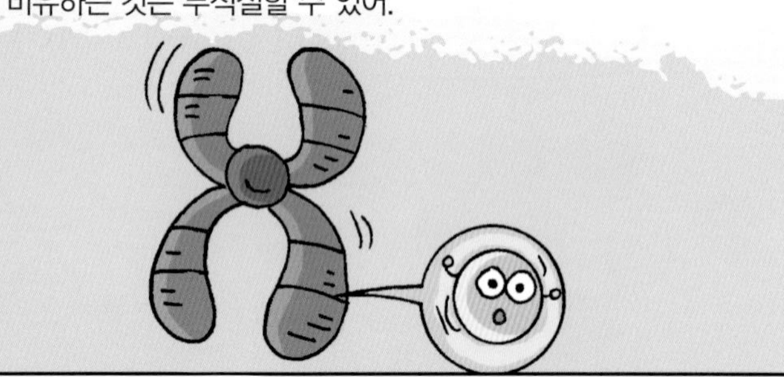

그 작은 암호문 속에 고도로 복잡하고 세분화된 발생 계획과 실행 수단을 담는 것이 불가능한 일이 아니라는 거야.

그럼 지금까지 논의한 이론과 생물학적 사실들을 대조해 보자.
"생물학"

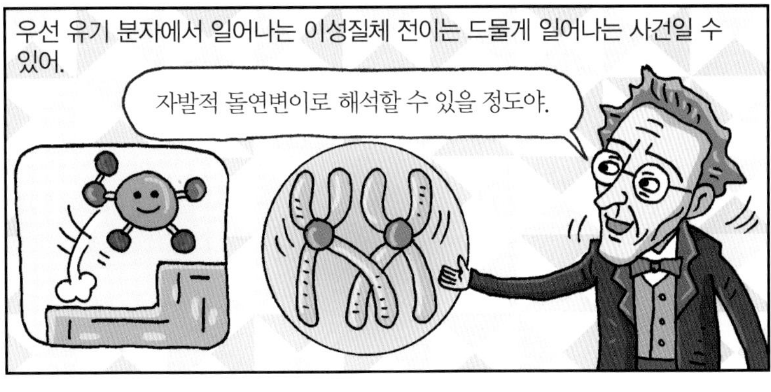
우선 유기 분자에서 일어나는 이성질체 전이는 드물게 일어나는 사건일 수 있어.
자발적 돌연변이로 해석할 수 있을 정도야.

'에너지 문턱'이 있기 때문이지.
쉽게 전이가 일어나지 않아.

그리고 이성질체 전이가 불연속적이듯이
두 이성질체 사이에 중간 형태가 없어.

돌연변이 또한 '뛰어넘기'식 변화야.
드 브리스가 처음으로 주목한 사실이지.
험

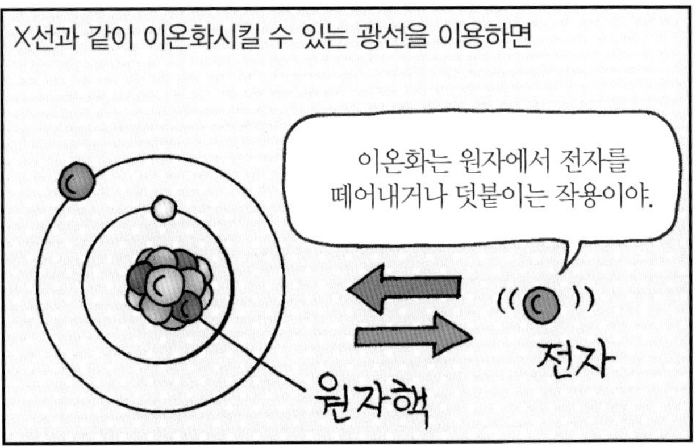
X선과 같이 이온화시킬 수 있는 광선을 이용하면
이온화는 원자에서 전자를 떼어내거나 덧붙이는 작용이야.
원자핵
전자

자연적 돌연변이율을 높일 수 있어.
그럼 토양과 공기, 우주 복사선 등의 자연 방사능은 자연적 돌연변이의 원인이겠네요?
아니야!

'자연 방사능'은 X선 효과와 비교해 그 힘이 아주 약해서 자연적 돌연변이율의 일부분만 설명할 수 있지.

모든 생물은 X선을 쬐면 돌연변이가 일어난다고 썼을 텐데?
뮐러!
뮐러(Hermann Müller, 1890~1967)

저땐 잘 몰랐다니까….
윽!

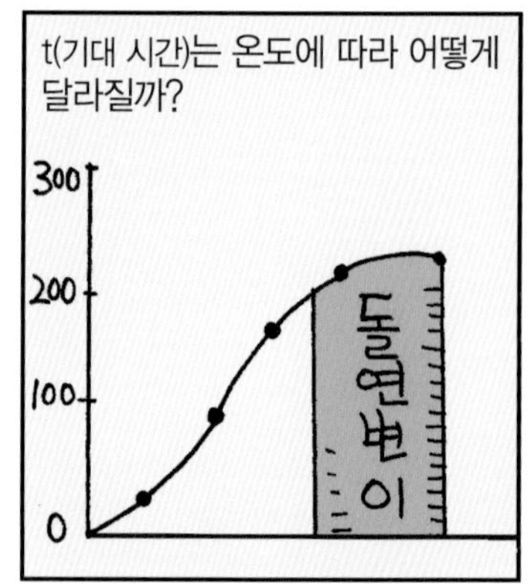

즉, 온도가 올라가면
기대 시간이 줄어드는 거야.

돌연변이에 걸린 시간이
짧다는 뜻이네요?

첫 번째 공식에서 알 수 있듯이, t가 크려면 W/kT가 커야 하는데

$$t = Te^{W/kT}$$

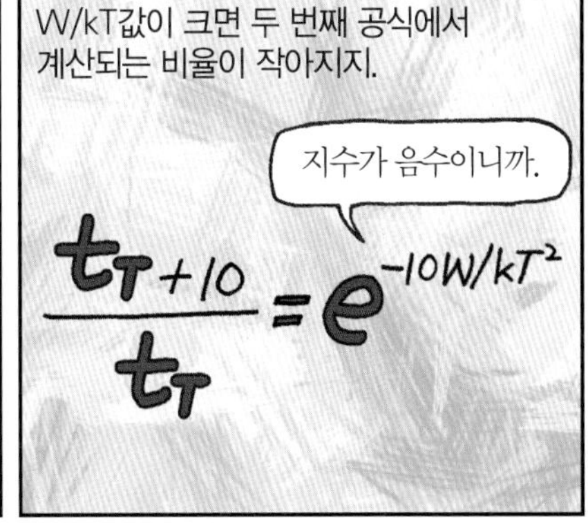

이온화를 한 번 하는 데 드는 에너지는 30전자볼트(eV)나 되거든.
'폭발적'이라고 할 만하지?

전자볼트(eV)는 에너지 단위로, 30전자볼트(eV)란 30볼트 전압에 의해 가속된 전자 한 개가 가지는 에너지야.
1.5볼트 건전지 20개가 갖는 전압이야.
30eV
1.5V

에너지는 전자가 방출된 곳의 열운동을 증가시키고, '열파동' 형태로 퍼져 나가.

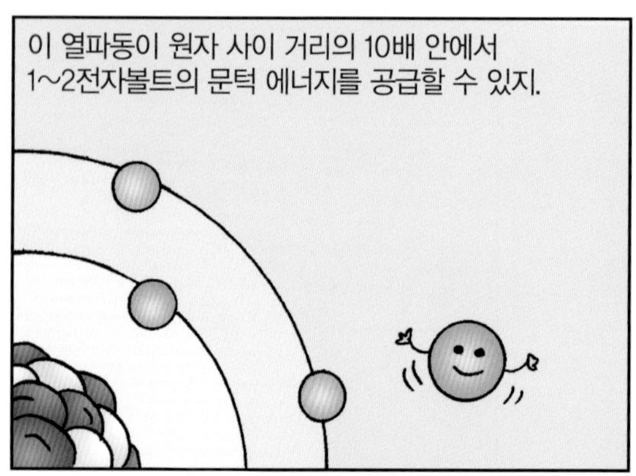
이 열파동이 원자 사이 거리의 10배 안에서 1~2전자볼트의 문턱 에너지를 공급할 수 있지.

하지만 폭발적인 과정의 결과로 '전이'가 일어나는 경우는 극히 드물어.

폭발적인 과정이 일어나면 대부분 염색체가 손상돼.
심각한 돌연변이잖아?

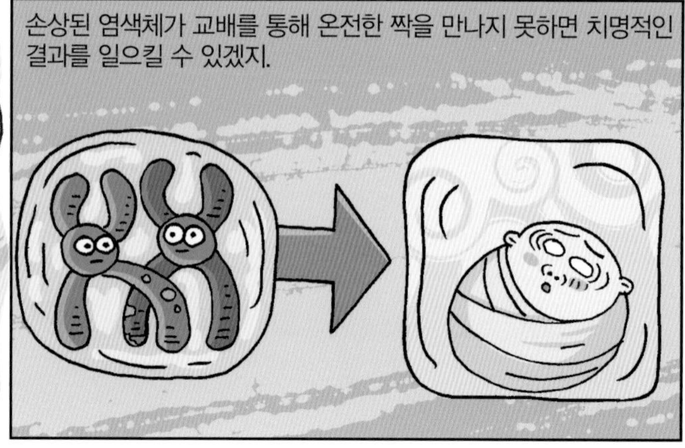
손상된 염색체가 교배를 통해 온전한 짝을 만나지 못하면 치명적인 결과를 일으킬 수 있겠지.

이렇게 이론적으로 예측한 것들은 모두 실험으로 정확히 확인되었단다.
X선을 쪼이면 심각한 돌연변이가 일어나는군.
정말 강해!
X선
30eV

몇 가지 다른 사실은 이론을 통해 쉽게 이해할 수 있어.

예를 들어, 불안정한 돌연변이체라고 해서 안정적인 돌연변이체에 비해 X선으로 유발한 돌연변이율이 높은 건 아니야.
불안정한 돌연변이체는 안정적인 돌연변이체에 비해 문턱 에너지가 낮아.

이론에 따르면 돌연변이가 일어나려면 30전자볼트의 에너지가 공급돼야 할 텐데….
찌릿~
30eV

필요한 문턱 에너지가 작으면 그 차이는 의미가 없겠지.
1전자볼트나 1.3전자볼트나 별 차이가 없어.
따끔~

몇몇 돌연변이는 양방향에서 일어난다는 사실도 밝혀졌어.
자연적인 유전자
돌연변이된 유전자

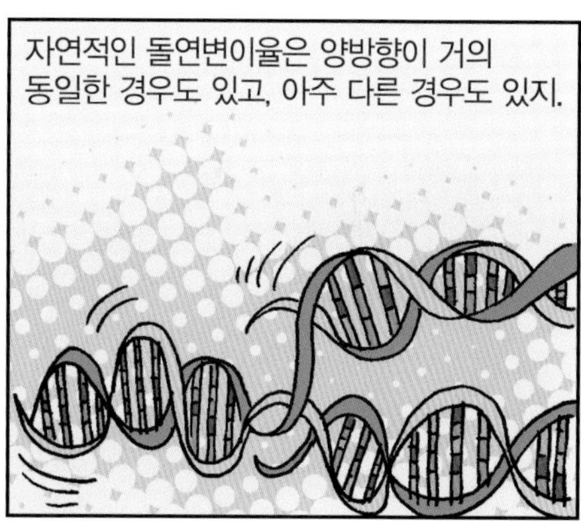
자연적인 돌연변이율은 양방향이 거의 동일한 경우도 있고, 아주 다른 경우도 있지.

전체적으로 볼 때, 델브뤼크의 '모델'은 검증을 매우 잘 통과했으니 앞으로의 논의도 이것을 전제로 할 거야.
유전자는 분자다.
돌연변이의 원인은 이온화에 의한 열운동이다.

21세기에 사는 너희가 보면 편협해 보일 수도 있지만 내가 알고 있는 지식 안에서 최선을 다했으니까 그 점만은 알아 줘.
오케이!
척~

알라 뷰~

8장 질서, 무질서 그리고 엔트로피

앞 장의 핵심은 유전자의 암호문이 고도로 복잡한 발생 계획과 실현 수단을 포함한다고 '생각'할 수 있다는 거야.

델브뤼크 분자 모델에서는 유전 물질의 작동 방식에 대해 어떤 암시도 없는 것 같아.

사실 가까운 미래에 물리학이 이 문제에 대해 대답할 수 있을 거라고 기대하진 않아. 일반적인 유전자 구조에 대해 기술한다고 해서 그 작동 원리까지 알 순 없을 테니까 말이야.

물리학은 유전자의 일반적인 구조에 대해 중점적으로 말했지.

델브뤼크 분자모델

일반적인 유전 물질의 작동 원리는 오히려
생리학과 생화학에서 밝혀질 가능성이 더 크지.
해답은 내가 말해 주지.
생화학자

그런데 물리학의 일반적인 기술로부터
얻을 수 있는 특이한 결론이 있어.
딱 하나 있어!
?

사실 이게 내가
이 책을 쓴 동기야.
생명이란 무엇인가?

'살아 있는 물질'이 현재까지 확립된 '물리학
법칙들'을 벗어나지는 않지만
물리학
그것보다는 기존의
물리법칙으로는
설명하기 어려운 게
정말 많으니까.
?

아직 알려지지 않은, 발견되기만 하면 물리학의 새로운 분야를
형성할 '다른 물리학 법칙들'과 관련되어 있을 가능성이 있다는
결론이야.
누가 발견 좀
해 줘!

알쏭달쏭한데요?
발견돼야 할 '다른 물리학 법칙'?

이 책의 나머지 부분을 할애해 이 결론을 명료히
하려고 해. 물리학 법칙은 대부분 통계적인
법칙이라고 한 것 기억나니?
앞부분에서
설명했지?
3장....

사물은 자연적으로 무질서를 향해 가는 경향이
있다고 말했는데
향수

이게 바로 열역학 제2법칙이었지.
엔트로피 증가의 법칙!
기억이 안 나면
3장을 다시 읽어 봐.
질서
시간
무질서

그러나 유전 물질은 예외적으로 큰 '분자'를 제안함으로써 무질서해지는 경향을 피해 나가야 했어.

살아 있지 않은 시스템은 고립되거나 일정한 환경에 오래 놓이면 운동을 멈춰.
덜컹
덜컹
마찰에 의해 운동이 멈추고
전기적·화학적 차이는 똑같아지고
뜨거운 물
차가운 물
물의 온도도 같아져.

그리고 시스템 전체는 '죽음' 상태에 들어가지.
활동이나 변화가 전혀 없다는 뜻이야.

물리학자는 이 상태를 '열역학적 평형 상태', 혹은 '최대 엔트로피 상태'라고 부르지.
평형 상태

실제로 무생물은 이와 유사한 상태에 아주 빠르게 도달해.
스륵
물에 설탕 한 숟가락을 넣으면 금방 다 녹아 버리겠지.
설탕

하지만 지금의 상태는 아직 이론적으로 절대적인 평형 상태가 아니야.
설탕 분자와 물 분자가 '완전히, 균일하게' 섞이려면 한참 시간이 지나야 해.
휘이-
휘이-

최종적인 평형 상태에 다가가는 과정은 아주 느리게 진행돼서 몇 시간, 몇 년, 몇 백 년이 걸릴 수도 있지.
이렇게 느리게 평형 상태에 이르는 과정을 생명으로 오해하는 건 아니겠지?

'평형 상태'로 빠르게 이동하지 않는 유기체가 수수께끼처럼 보일 수 있어.
넌 왜 안 썩어?

* 동화: 생물이 외부로부터 섭취한 영양물을 자기 몸에 알맞은 성분으로 변화시키는 일.

그래서 한때는 물질대사를 '에너지를 먹는다'고 설명하기도 했어.
아주 좋은 설명인걸!
냠냠

이 주장을 그대로 받아들였는지 21세기에 와 보니 음식 값과 에너지 함유량을 함께 표기한 메뉴판이 많더군.
카페라떼 5500원, 105칼로리.
햄버거 260Kal
치킨 조각 210Kal
초코도우넛 281Kal
패스트푸드 에너지 함유량

그러나 이건 터무니없는 주장이야.
거짓!

단순한 칼로리 교환이 생물의 몸에 무슨 도움이 되겠어.
냠냠

그래서 하는 말인데, 음식에는 우리를 죽지 않게 지켜 주는

어떤 소중한 것이 들어 있는 게 아닐까?
단순히 교환되는 물질이나 에너지 말고….

자연에서 일어나는 모든 과정을 보면
쾅!
쾅!
쏴아아아…

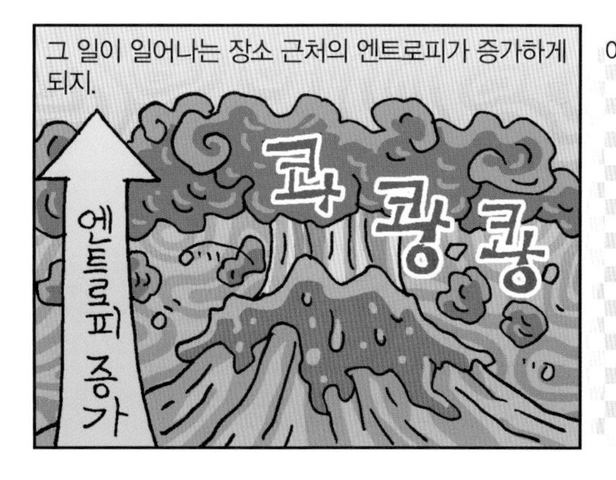
그 일이 일어나는 장소 근처의 엔트로피가 증가하게 되지.
엔트로피 증가
콰광쾅

이게 열역학 제2법칙이잖아.
우주의 엔트로피는 항상 증가한다!
질서
시간
무질서

결국 길게 보면 살아 있는 유기체도 끊임없이 자신의 엔트로피를 증가시켜서
이를 '양의 엔트로피를 생산한다'고 표현하기도 해.

최대 엔트로피 상태인 죽음을 향해 나아가고 있다고 할 수 있지.
최대 엔트로피 = 죽음

생물은 파멸에서 벗어나려고 한다면서요?

그렇지!

그러니까 생물은 살아 있는 동안 환경으로부터 '음의 엔트로피'를 끌어들인다고 설명하면 어떨까?

+와 -가 서로 상쇄되는 셈이지.

좀 더 쉽게 얘기해 줘?

물질대사의 핵심은 유기체가 살아 있는 동안 생산할 수밖에 없는 엔트로피로부터 자신을 성공적으로 떨어내는 것에 있어.
단순히 교환하는 게 아니야.

엔트로피는 무엇일까?
오해하는 사람이 많아서 다시 설명하려는 거야.
엔트로피?

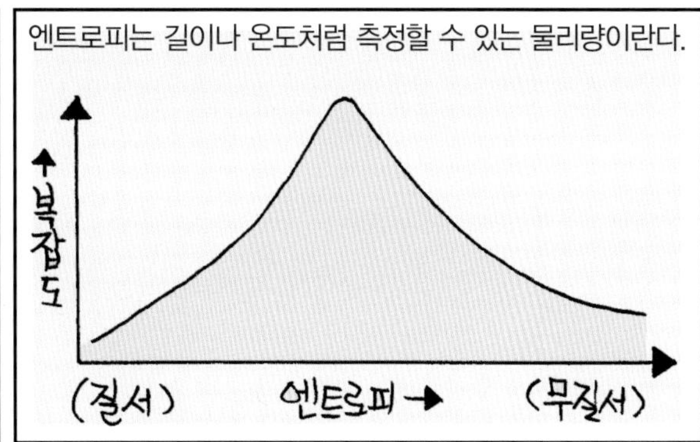

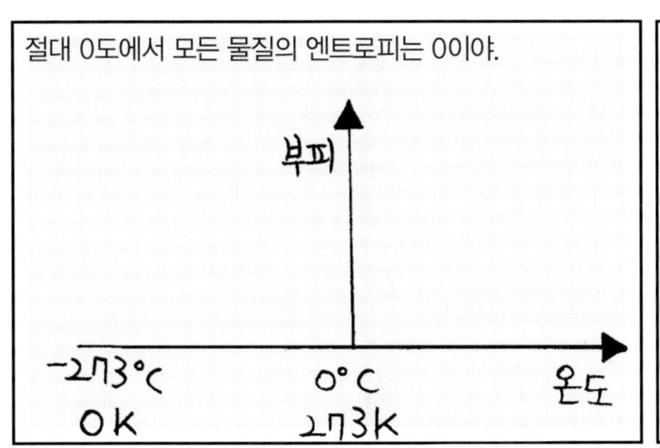

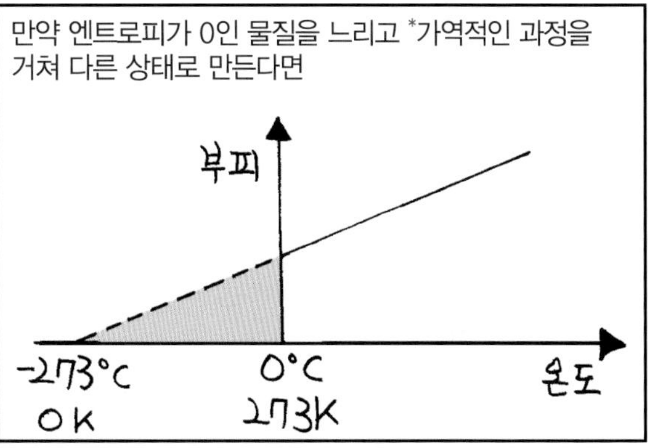

* 가역적: 변했다가 다시 원래 상태로 돌아갈 수 있는 과정.

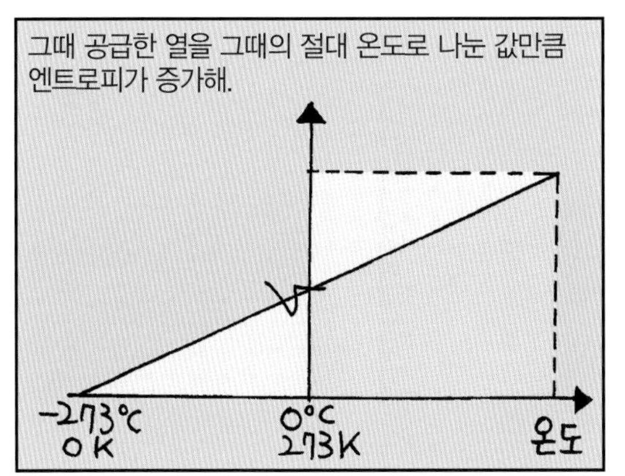

물질이 여러 단계를 거쳤다면, 각 단계에 해당하는 값을 모두 더하면 엔트로피의 증가량을 구할 수 있지. 예를 들어 얼음 1kg을 녹일 때 증가한 엔트로피를 계산해 보자.

볼츠만과 기브스는 다음과 같은 관계를 밝혀냈어.
entropy = k log D
기브스(Josiah Willard Gibbs, 1839~1903)

알파벳만 보여요.
미안, 하지만 물리학의 언어는 수학이잖아.

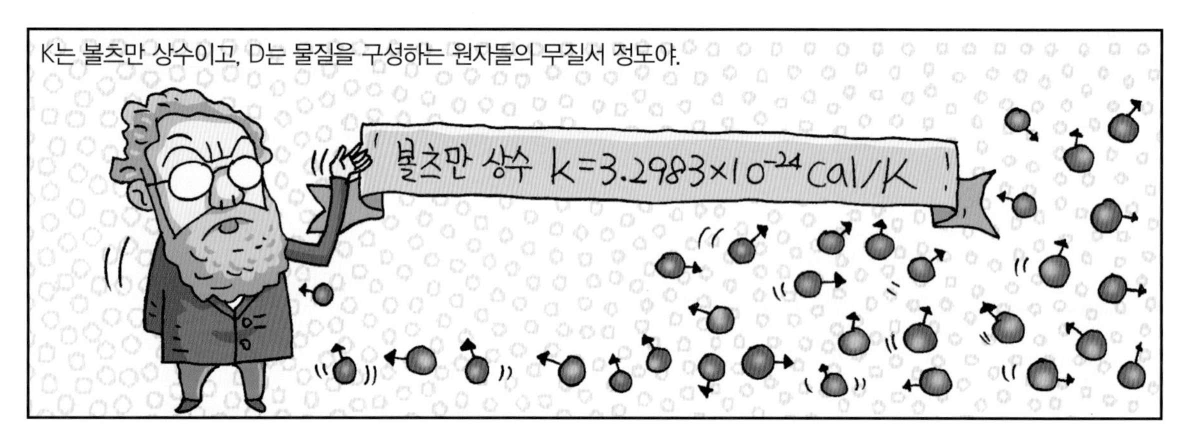
K는 볼츠만 상수이고, D는 물질을 구성하는 원자들의 무질서 정도야.
볼츠만 상수 k=3.2983×10-24 cal/K

예를 들어, 설탕이 물 속에 들어가 점차 퍼지면 D가 증가하고, 엔트로피도 증가해.
D

열을 가하면 열운동이 활발해지니까 D와 엔트로피가 증가하는 거지.
별로 어려운 관계식이 아니지?

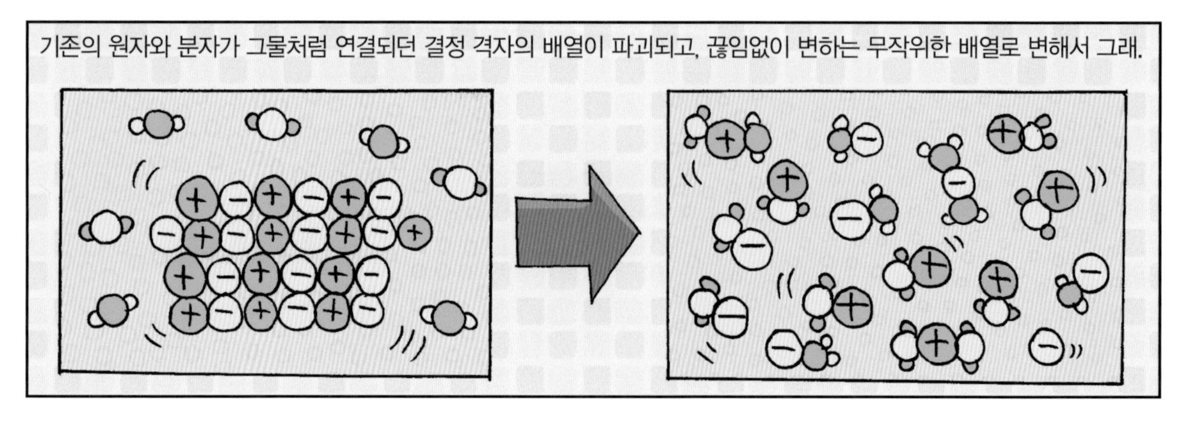
기존의 원자와 분자가 그물처럼 연결되던 결정 격자의 배열이 파괴되고, 끊임없이 변하는 무작위한 배열로 변해서 그래.

아까도 말했지만 최대 엔트로피 상태, 즉
카오스적인 상태로 접근하는 경향은
카오스
펑!

우리 주변에서도 쉽게 경험할 수 있지.

물건을 제자리에 놓지 않다니, 불규칙한 열운동 같군.

그럼 다시 생물로 돌아가 보자.

살아 있는 유기체가 먹는 '음의 엔트로피'는 방정식으로 표현할 수 있어.
간단해. 엔트로피 방정식의 양변에 −를 붙이기만 하면 돼.
-entropy=klog(1/D)
P

또 음의 엔트로피는 '질서의 정도'라고 할 수 있겠지.
엔트로피가 무질서한 정도니까.
질서!

유기체는 환경으로부터 끊임없이 질서를 빨아들이고 있어.
흠
흐음
흐음
흠

여기서 동물들에게 음의 엔트로피 역할을 하는 건 음식이고,
냠냠.
냠냠.

식물에게 음의 엔트로피를 공급하는 건 햇빛이야.

지금까지 생명 현상을 질서, 무질서, 엔트로피 개념을 이용해 설명해 봤는데
생명 현상
질서
무 질서
엔트로피 개념

어때?

사실 음의 엔트로피라는 용어에 대해 많은 동료 물리학자들이 거부감을 표현했어.
맘에 안 들어….
음의
엔트로피

하지만 내 생각엔 용어만 쓰이지 않을 뿐이지 은연중에 음의 엔트로피의 개념이 쓰이고 있다고 생각해.
질서유지

짚신도 짝이 있듯이, 양의 엔트로피가 있다면 음의 엔트로피도 있어야 하지 않겠어?

난 가장 적합하다고 생각한 개념으로 생명 현상을 설명하려고 노력했을 뿐이야.
그럴 듯한 이름을 붙이면 편리하잖아.
음의 엔트로피
생명 현상

시몬(Franz Eugen Simon, 1893~1956)

음식에 들어 있는 에너지는 몸 속 에너지와 단순히 교환되는 개념이 아니지.
?

그건 아주 무식한 소리야!
켁-

그, 그렇지.

음식에 들어 있는 에너지는 신체 활동을 위한 역학적 에너지로도 사용되고
냠냠
배고파.
에너지가 떨어졌어.

우리가 끊임없이 밖으로 방출하는 열로도 사용돼.

우리가 열을 방출하는 건 필수적인 일이야.

일상 생활에서 끊임없이 생산되어 남은 엔트로피를 처분하는 방식이거든.
공장창고 정리
창고 세일

아하!
또 이상한 생각을?

그렇다면 체온이 높은 온혈 동물은 엔트로피를 더 빨리 배출할 수 있으니까 더 격렬한 생명 활동을 할 수 있지 않을까?

연구해 보지 않았으니 얼마나 타당한 얘기인지는 모르겠어.
헉 헉 헉

네가 연구해 볼래?

온혈 동물 대부분은 열 손실을 막기 위해 털이나 깃털이 있지 않나요?

그럼 열을 빨리 배출하지 못할 텐데….

털 덕분에 체온을 유지하기가 더 쉬운 게 아닐까?

대개 온도가 높으면 화학 반응이 잘 일어나거든.

흥미로운 주제인 것 같지 않니?
체온과 '삶의 강도'

자, 이쯤에서 이야기를 마무리해 볼까?

9장 생명은 물리학 법칙들에 기반을 두는가

그건 어떤 '새로운 힘'이 있기 때문이 아니라

유기체 구조가 지금까지 물리학 실험실에서 다루던 물질과 다르기 때문이지.

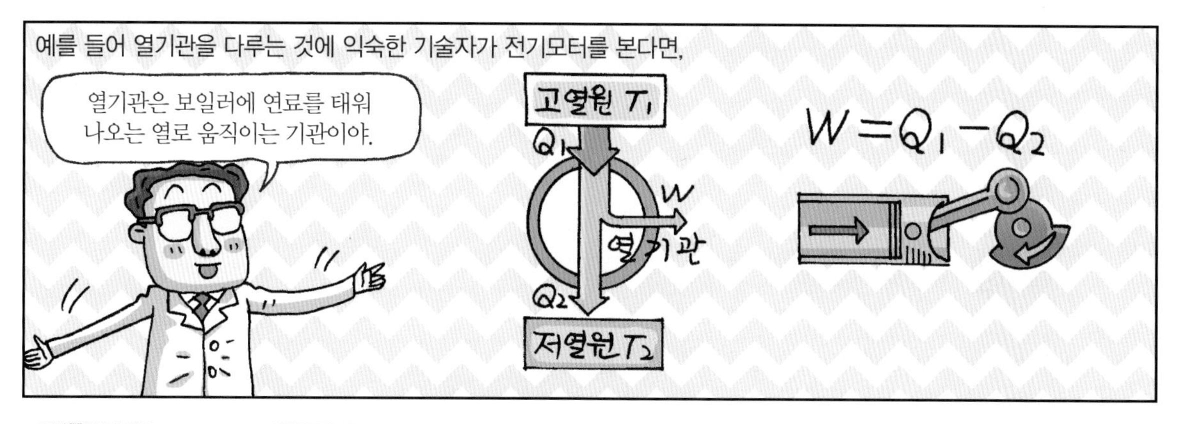
예를 들어 열기관을 다루는 것에 익숙한 기술자가 전기모터를 본다면,
열기관은 보일러에 연료를 태워 나오는 열로 움직이는 기관이야.
고열원 T_1
Q_1
W
열기관
Q_2
저열원 T_2
$W = Q_1 - Q_2$

열기관과 다르게 전기모터는 구리를 길게 뽑아서 둘둘 말았군.

열기관의 구리관

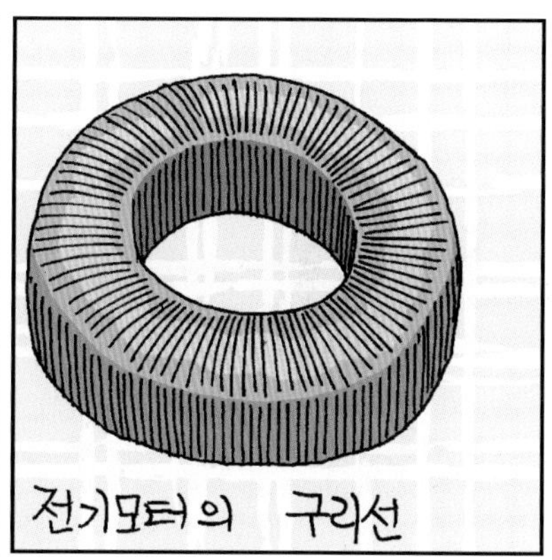
전기모터의 구리선

철을 코일 안에 넣었어?

똑같은 철과 구리이긴 한데….

보일러랑 뜨거운 증기도 없네.
꾹

스위치만 딸깍하면
돌아간다고?
거참, 신기하네.
우웅
우웅 우웅

그런데 도대체 어떻게 작동하는 거지?
?
?
웅웅
우웅

그는 결국 전기모터가 자신은 아직 모르는 원리들에 의해
작동한다는 걸 기꺼이 인정할 거야.

물리학자가 생명 현상을 보는 심정도 이와 비슷해.
도대체 어떻게
움직이는 거야?
?

유기체는 감탄할 만한 규칙성과 질서를 보여 주지.
이건 이렇게, 저건 저렇게
해서 똑같이 복제!
난 감히 따라갈 수도 없어.

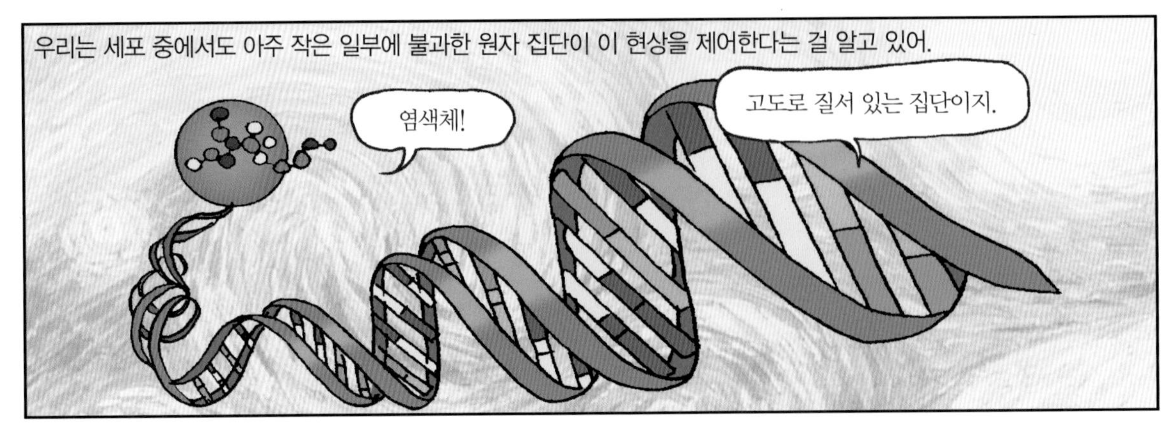

우리는 세포 중에서도 아주 작은 일부에 불과한 원자 집단이 이 현상을 제어한다는 걸 알고 있어.
염색체!
고도로 질서 있는 집단이지.

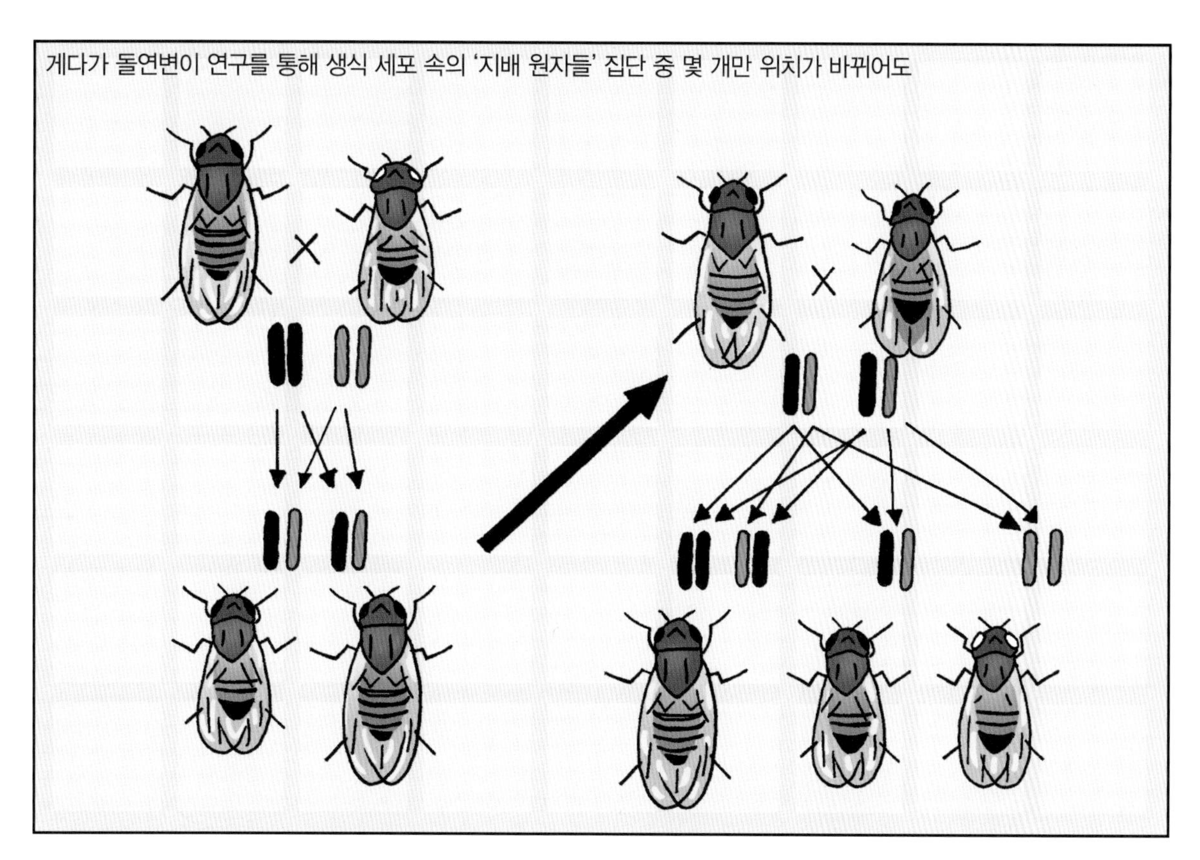
게다가 돌연변이 연구를 통해 생식 세포 속의 '지배 원자들' 집단 중 몇 개만 위치가 바뀌어도

겉으로 드러나는 유전 형질이 뚜렷하게 변할 수 있다는 결론을 내릴 수 있어.
원자 몇 개 바뀌었을 뿐인데, 흑흑.

이처럼 환경으로부터 '질서'를 빨아들이는 유기체의 놀라운 능력은
앙-
흐음

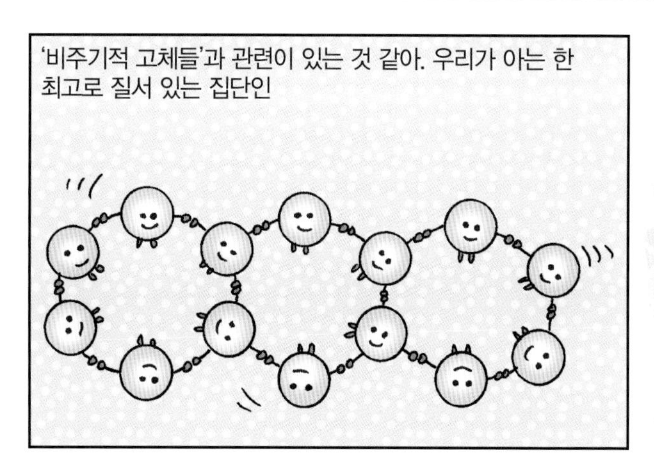
'비주기적 고체들'과 관련이 있는 것 같아. 우리가 아는 한 최고로 질서 있는 집단인

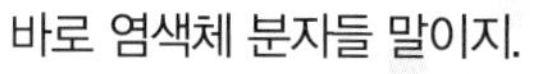
바로 염색체 분자들 말이지.

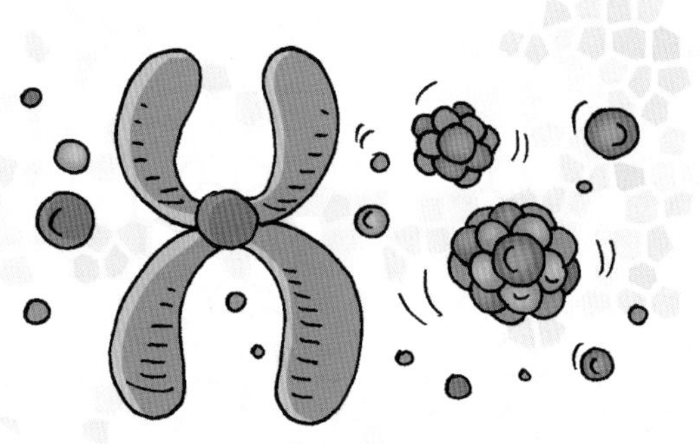

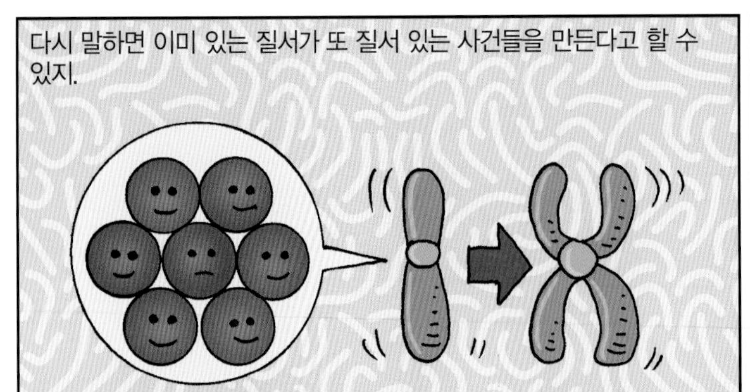
다시 말하면 이미 있는 질서가 또 질서 있는 사건들을 만든다고 할 수 있지.

물리학자에게 이 현상은 매우 흥분되는 일이야.
나만 그런가?

상식적인 예측에서 벗어나는 일이거든.
퍽!
상식

물리학 법칙에 따라 진행되는 사건들은 대개 개별 원자들이나 분자들이 보이는 무질서의 산물이야.
우리는 질서 있는 원자 구조의 산물이 아니야.

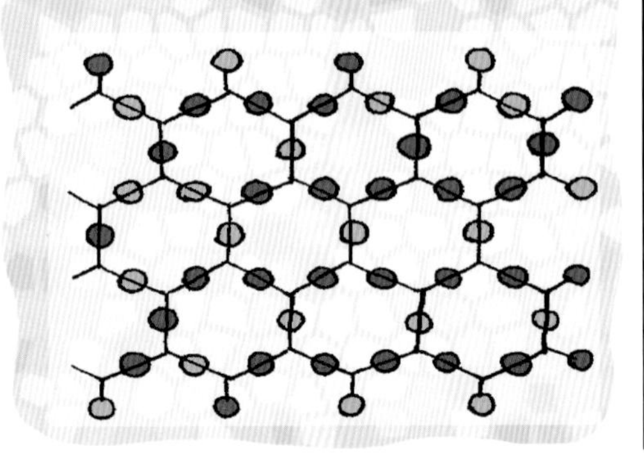
물론 '아주' 많은 동일 분자들로 이루어진 구조인 경우 질서 있는 구조라고 할 수 있겠지만

그것이 수없이 다양한 질서 있는 사건들을 만들지는 않잖아.
소금 결정은 커져 봤자 소금이지.
우리 아들은 아빠를 꼭 닮았어.

화학자는 실험실에서 물질을 연구할 때 아주 많은 유사 분자들을 다뤄.

그리고 화학 법칙들은 무수히 많은 분자들에 적용돼.
개별 분자는 무질서하지.

예를 들어 화학자가 어떤 물질의 반응 속도를 쉽게 예측했다고 하자.

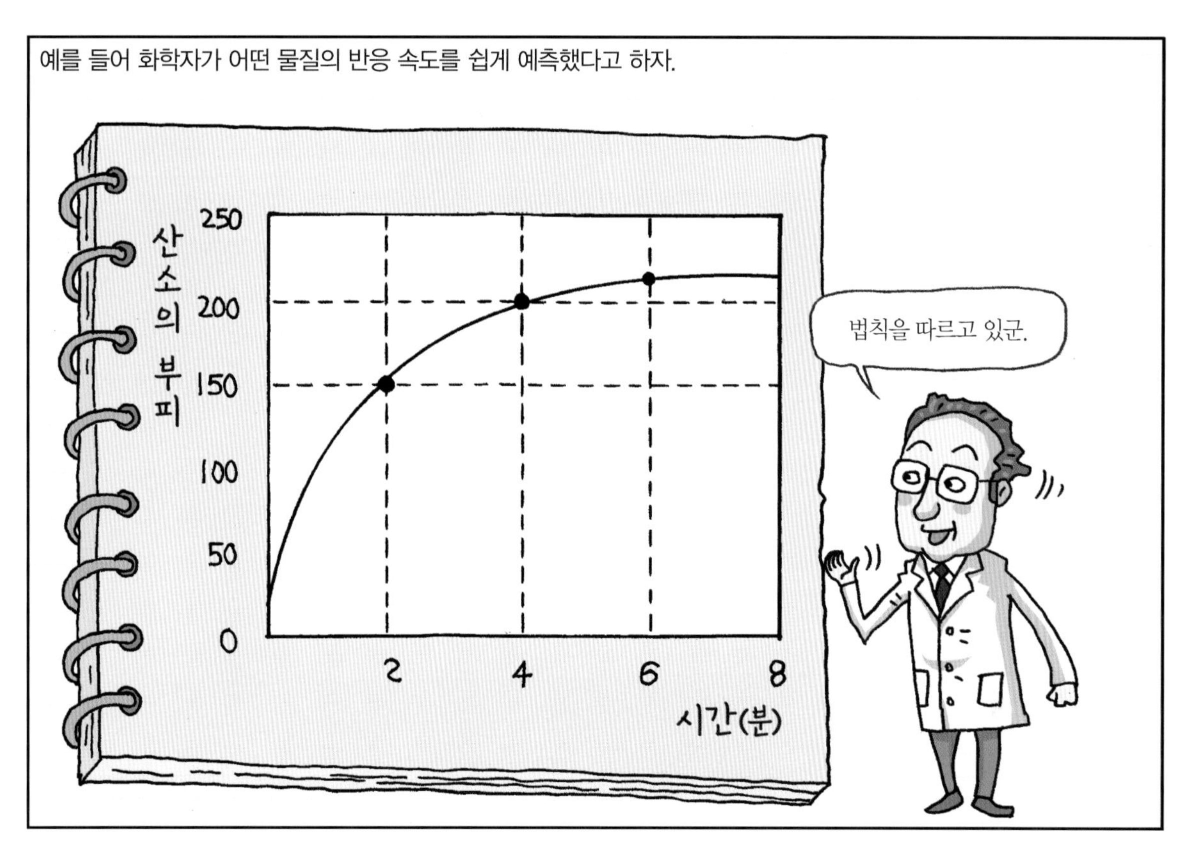

그는 순전히 우연으로 움직이는 개별 분자의 반응을 예측할 수는 없지만

분자의 우연적인 무질서가 만들어 낸 평균적인 규칙성을 보고 물질의 반응 속도를 예측할 수 있지.

우리가 관찰할 수 있는 예로는 방사성 원자의 붕괴 현상이 있어.

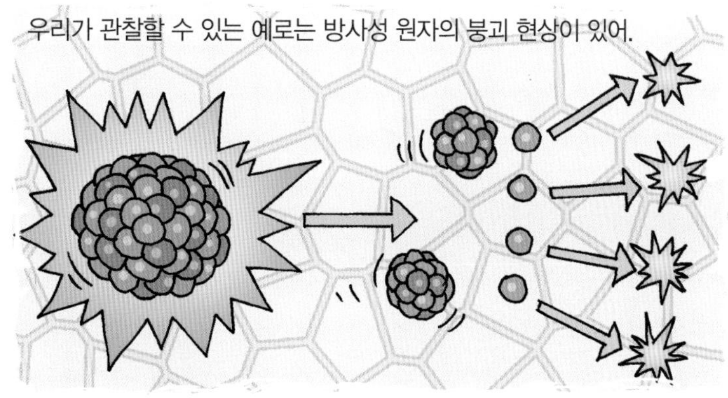

방사성 원자 하나의 수명은 건강한 참새 수명에 비해 예측하기가 어려워.

난 건강해서 10년은 살 수 있어. 일반 참새는 7~8년을 살지만….

그런데 방사성 원자가 아주 많이 모여 집단을 이루면 그 붕괴 속도는 정확히 지수함수의 법칙을 따른단다.

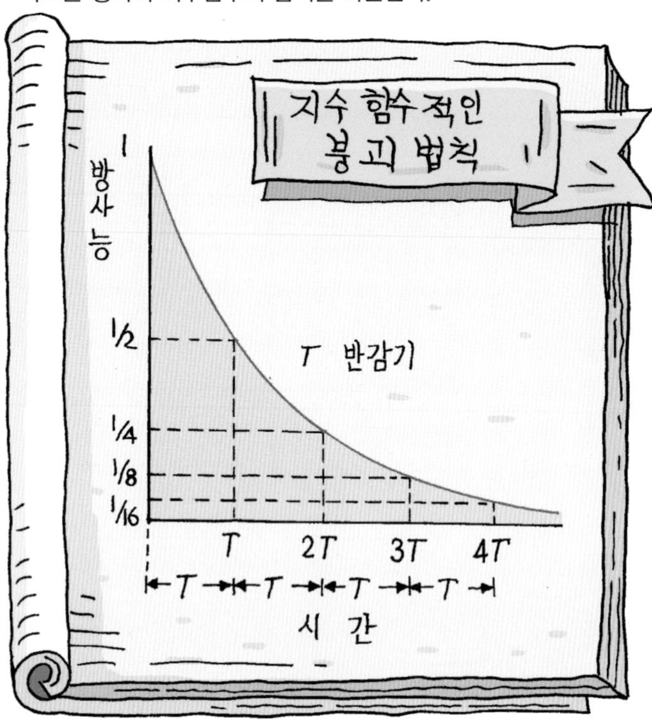

생물학에서 만나는 상황은 물리학에서 만나는 상황과는 전혀 달라.

세포 하나에 있는 특정 원자 집단이 질서 있는 사건들을 만들어 내고

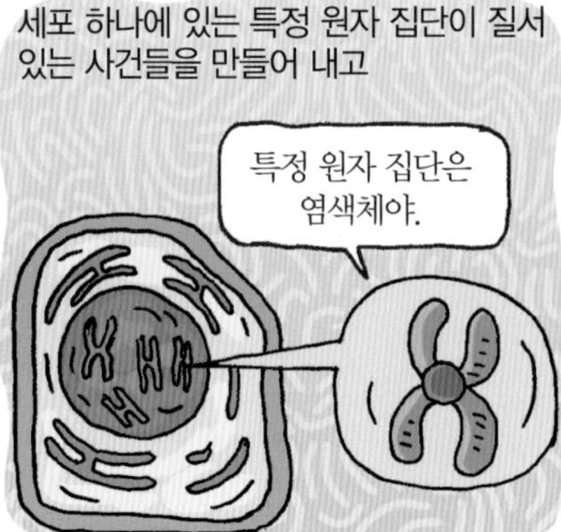

그 사건들은 서로 또는 환경과 조화를 이루게 되지.

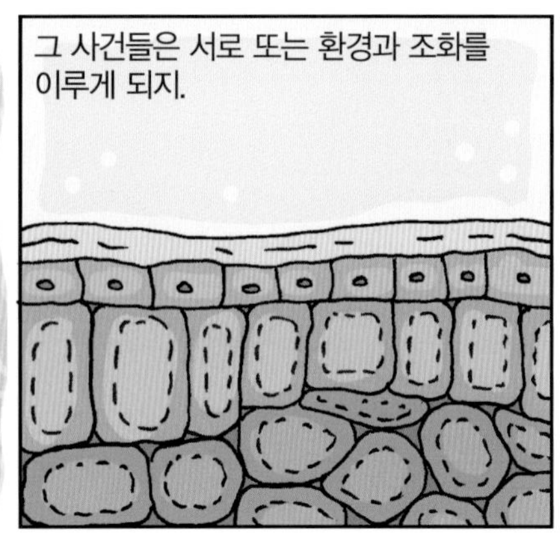

고등 동식물은 동일한 염색체가 아주 많아.

이 수는 1단위 ㎤의 공기에 들어 있는 분자 수의 100만분의 1에 불과한 데다
물론 생물 속 분자가 훨씬 크지만….

10¹⁴개의 유전 물질을 전부 압축해도 아주 작은 액체 방울 하나를 이루는 정도밖에 안 돼.

유전 물질의 배열 방식도 흥미롭지.

각 세포에는 염색체가 하나씩 들어 있거든.

그러고 보니 염색체들이 몸 전체에 분산되어 있으면서 암호를 공유하여 서로 쉽게 의사소통을 하는 것이 마치 지방 정부와 비슷하지 않니?

시적인 멋진 비유지?

자화자찬….

다시 하던 이야기로 돌아가 볼까?

결국 우리는 생물 속 사건들이 물리학의 '확률 메커니즘'과 전혀 다른 '어떤 메커니즘'에 의해 지배받는지를 알고 싶은 거야.
?

생명 현상의 질서는 두 종류인 것 같아. '무질서에서 질서'를 산출하는 메커니즘과 '질서에서 질서'를 산출하는 새로운 메커니즘이 그것이지.
질서
생명 현상의 질서는 두 가지.
무질서

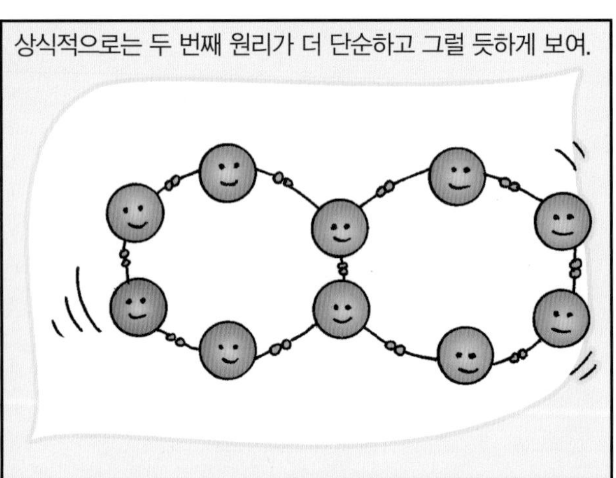
상식적으로는 두 번째 원리가 더 단순하고 그럴 듯하게 보여.

물리학자라면 첫 번째 원리에 도전해야지. 그럴듯한 것보다 그렇지 않은 것에 도전하는 게 물리학자 아니겠어?

하지만 '무질서에서 질서'의 원리에서 나온 '물리학 법칙들'로 '질서에서 질서'로 가는 원리까지 설명할 거라고 기대하기는 어렵겠지?
?
우리집 열쇠로 옆집 문도 열 수 있을 거라고 기대하는 사람은 없잖아.

그러니 평범한 물리학 법칙으로는 생명 현상의 질서를 설명할 수 없다는 결론에 실망하지 말자.

유기체 내에서 주도적인 역할을 하는 새로운 법칙을 찾으면 되니까 말이야.
빨리, 빨리, 움직여.

내가 확신하는 건 그 새로운 원리가 '물리학적'이라는 사실이야.
물리학

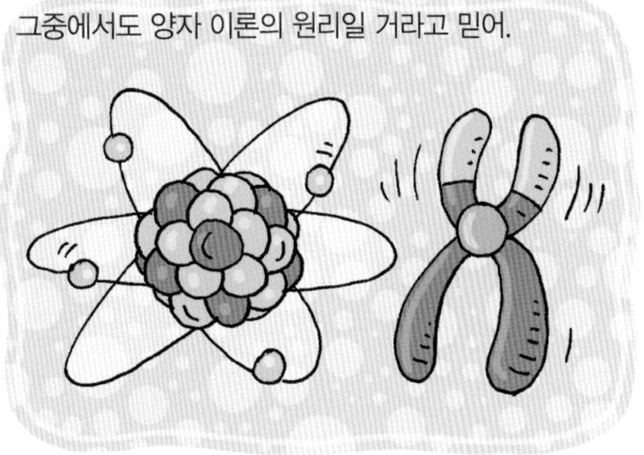
그중에서도 양자 이론의 원리일 거라고 믿어.

양자 이론이라면 통계, 분자적 무질서, 불확실성과 관련된 것 아닌가요?

양자는 통계 물리학으로는 설명할 수 없다고 하셨잖아요.
모순처럼 느껴지지? 난 이런 게 재미있어.

태양계 행성의 운동은 뉴턴의 만유인력 법칙으로 계산해.
만유인력의 법칙

만유인력의 법칙이 있으면 언제, 어디서, 어떤 일이 일어났는지 정확히 알 수 있지.
피라미드가 세워지던 날
세종 대왕이 돌아가시던 날 행성의 변화
전하!
일식은 언제?

이 계산은 통계와는 전혀 관련이 없어.

좋은 아날로그 시계나 이와 비슷한 기계 장치의 움직임도 마찬가지로 통계와 상관없어 보여.

다시 생각해 보니 자동차 생산 라인의 기계들이 어떻게 작동할지 예측 못하면 안 되는구나.
이들이 통계를 낼 수 없을 정도로 마음대로 움직인다면? 으악, 상상만 해도 끔찍해!
웅

그렇다면 이렇게 기계적인 움직임은 '질서에서 질서'를 산출하는 원리를 따른다고 할 수 있지 않을까?

내가 흥미롭게 읽은 막스 플랑크가 쓴 소논문에도 이 내용이 나와.
동역학적인 법칙성
통계적인 법칙성

그가 말한 '동역학'이 바로 행성이나 시계와 같은 기계적인 운동에 관한 분야거든.

오잉?

시계가 작동하는 건 순전히 기계적인 현상에 의해서가 아니야.

순전히 기계적인 현상이라면 시계는 일단 작동하기 시작하면 영원히 작동하겠지.

태엽이 맞물린 상태로 움직이기만 하면 되니까.

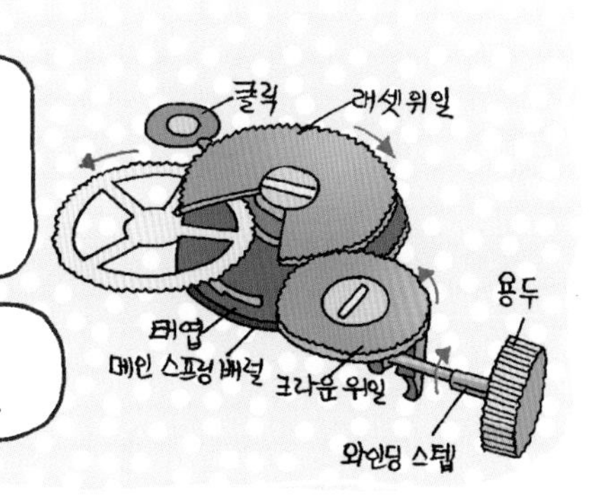

용수철이나 태엽이 없는 시계는 추가 몇 번 흔들리다가 멈추게 돼.
밥 줘!

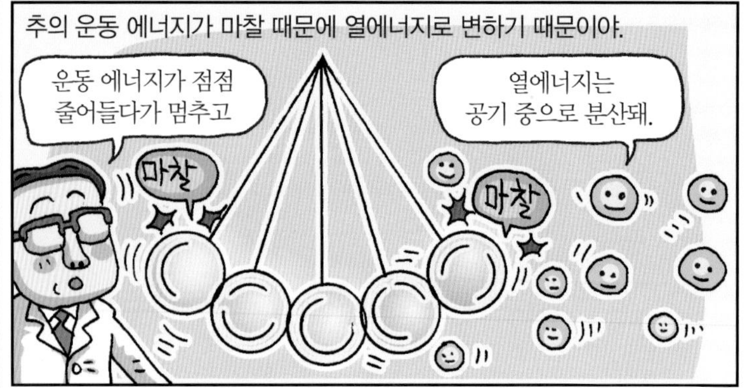
추의 운동 에너지가 마찰 때문에 열에너지로 변하기 때문이야.
운동 에너지가 점점 줄어들다가 멈추고
마찰
마찰
열에너지는 공기 중으로 분산돼.

이 변환 과정은 무척이나 복잡해.
흔들
흔들

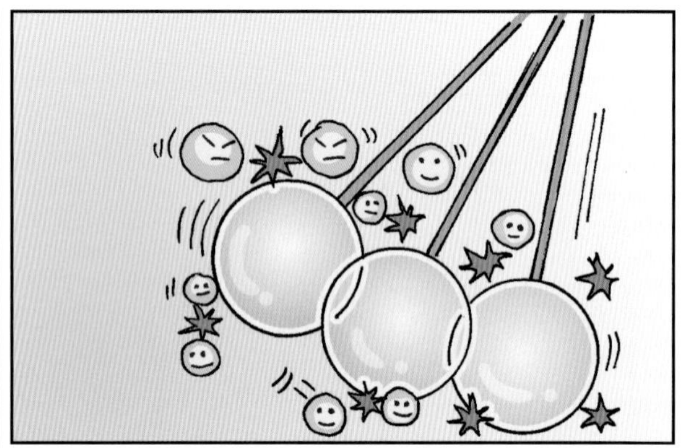

그런데 이 과정은 거꾸로 진행될 수도 있어.
톡

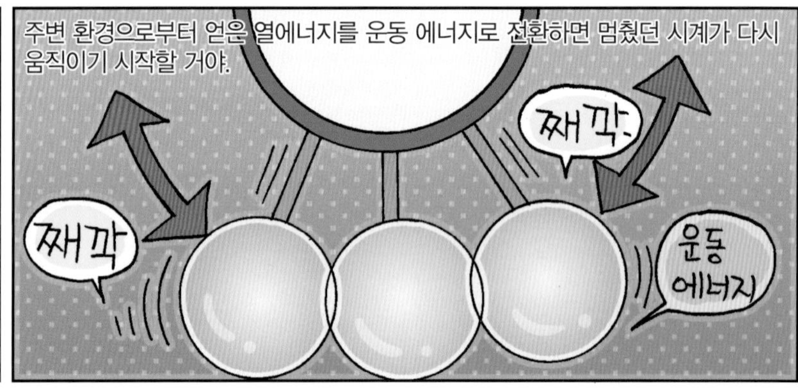
주변 환경으로부터 얻은 열에너지를 운동 에너지로 전환하면 멈췄던 시계가 다시 움직이기 시작할 거야.
째깍
째깍
운동 에너지

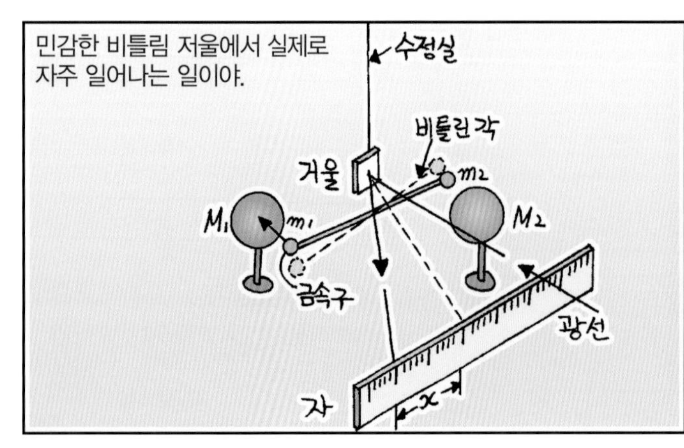
민감한 비틀림 저울에서 실제로 자주 일어나는 일이야.
수정실
비틀린 각
거울
m2
M1
m1
M2
금속구
광선
자
x

민감한 측정 장치는 골치 아파.
조금만 방심해도 바늘이 흔들리거든.

물론 시계에서 그런 일이 일어날 가능성은 매우 희박해.
일과표
20시
숙제
수면
학원
수업
등교
하루가 20시간일 확률
공휴일
공휴일
일 월 화 수 목 금 토
일주일에 일요일이 두 번 있을 확률
여름방학 숙제가 하나도 없을 확률

시계의 작동을 막스 플랑크처럼 동역학적 법칙성으로 해석할지 통계적인 법칙성으로 해석할지는 우리 마음에 달려 있어.
동역학적 법칙성
통계적인 법칙성
똑딱 똑딱

어쨌든 시계는 작은 용수철로 열운동에 의한 흔들림을 극복하고 규칙적으로 움직이잖아요.

동역학적인 현상으로 보는군.

하지만 용수철이 없으면 시계는 곧 멈춘다는 것 또한 분명해요. 마찰 때문에 운동 에너지가 손실되니까요.

통계적인 현상으로 보는군. 그럴 수도 있지.

굳이 따지자면 마찰과 열의 효과를 고려하는 태도가 더 근본적인 물리학적 태도이긴 해.

시계에 미치는 효과가 아무리 작더라도 무시하지 않는 태도!
똑딱
똑딱.

물리학에서는 규칙적으로 가던 시계가 갑자기 거꾸로 가면서 스스로 태엽을 감는 일이 일어날 가능성도 열어두는 법이지.
끼릭
끼릭

코끼리가 병에 들어갈 확률일지라도 말이야.

결국 다시 검토해 보면, 기계적인 운동이라고 해도 우연이라는 요소를 완전히 제거할 순 없다는 거야.
우연

심지어 천체 운동에서도 마찰과 열의 효과가 있지.

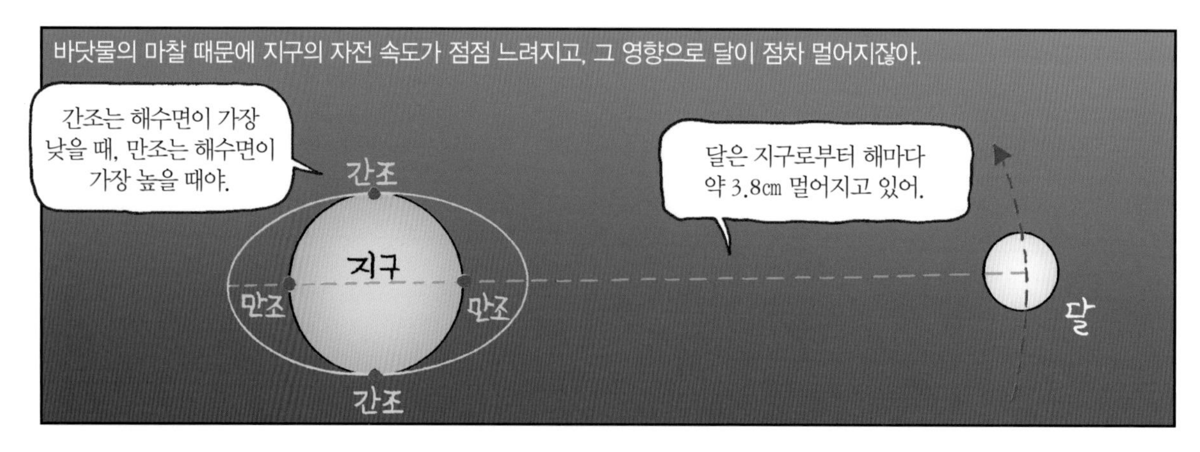
바닷물의 마찰 때문에 지구의 자전 속도가 점점 느려지고, 그 영향으로 달이 점차 멀어지잖아.
간조는 해수면이 가장 낮을 때, 만조는 해수면이 가장 높을 때야.
달은 지구로부터 해마다 약 3.8㎝ 멀어지고 있어.
간조
지구
만조
만조
간조
달

만약 지구가 외부에서 힘을 가해도 변하지 않는 완벽한 구형 물체라면 천체 운동의 변화는 없을 거야.
쿵.

그럼에도 시계의 동역학적인 면이 중요한 이유는
똑딱.
똑딱.

그 질서에서 유기체와의 공통점을 발견할 수 있을지도 모르기 때문이지.
?
째깍
째깍

그렇다면 시계와 유기체의 공통점과 차이점은 무엇일까?

이 질문에 답하려면 다음 질문부터 살펴봐야 해. 모든 종류의 원자 집단은 언제 '동역학적인 법칙성'이 나타날까?
즉, 시계와 유사한 기계적 특징이 언제 나타날까?
통.

바로 절대 온도 0도일 때야.
lim ΔS = 0
T→0

이게 '열역학 제3법칙'이야.
내가 발견했지.
발터 네른스트(Walther Nernst, 1864~1941)

실제로는 절대 온도 0도에 도달할 수 없지만 다양한 온도에서의 화학 반응 결과를 토대로 추론해서 발견한 거야.
'네른스트 정리'라고도 하지.
G
H
O
T

양자 이론은 '네른스트 정리'에 이론적 토대를 제공했어.
원자들의 열운동이 사라지는 마법의 순간, 절대 온도 0도!
펑
0°C

또한 어떤 시스템이 몇 도일 때 '거의' 동역학적으로 행동할지도 계산할 수 있게 해 주었지.
절대 온도 0도와 실질적으로 동등한 온도는 몇 도일까?
절대 온도 0도에 얼마나 가까워야 할까?
슥-
슥-

그 온도가 항상 매우 낮은 건 아니야.

예를 들어 추시계의 경우 실온이 실질적으로 절대 온도 0도야.
실온에서 거의 동역학적으로 작동하잖아.

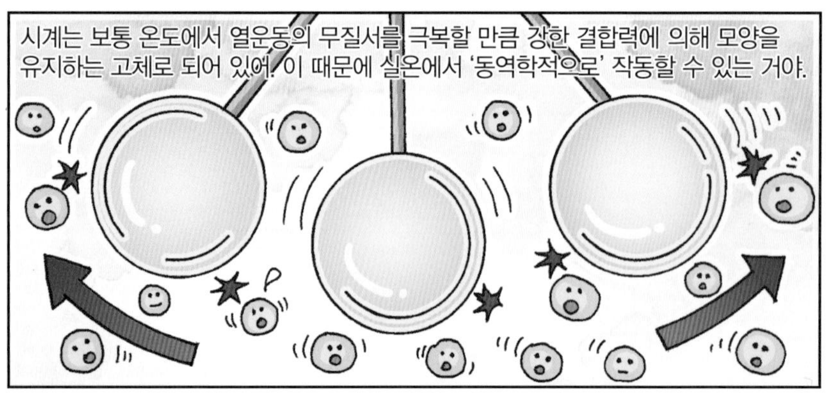
시계는 보통 온도에서 열운동의 무질서를 극복할 만큼 강한 결합력에 의해 모양을 유지하는 고체로 되어 있어. 이 때문에 실온에서 '동역학적으로' 작동할 수 있는 거야.

아주 중요한 핵심이야.
핵심

그러고 보니 유기체도 실온에서 잘 먹고 잘 살고 있네?

여기에서 생각할 수 있는 시계와 유기체의 공통점은
강하게 결합된 고체라는 점이야!
쿵

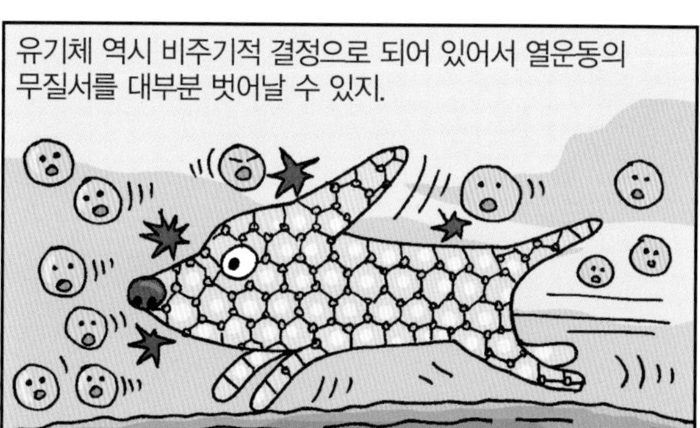
유기체 역시 비주기적 결정으로 되어 있어서 열운동의
무질서를 대부분 벗어날 수 있지.

하지만 내가 염색체 섬유를 '유기적인 기계의 톱니바퀴'
정도로 간주한다고 비난하지는 않길 바라.
이렇게 단순하지 않아!
뻥!

지금까지 내가 얘기했던
통계 물리학부터 양자 이론까지
다 짚어 본 건 아니잖아.

사실 시계와 유기체는 공통점보다 차이점을 찾기가
훨씬 쉬워.
유기체는 물렁물렁하고,
물이 많고, 복제도 해.
시계가 자기 복제를
하거나 새끼 낳는 거
봤어?

그 중에서 우리가 주목해야
할 유기체의 특징은
두 가지야.

첫째, 다세포 유기체에서 그 톱니바퀴들이 특이하게 배치되어
있다는 점.
세포 안에 하나씩
들어 있잖아.
지방 정부에 비유했던
거 기억하지?
아, 시적인
비유!

둘째, 유기체 안의 각각의 톱니바퀴는 신의 양자
역학에 따라 만들어진 가장 정교한 걸작이라는
점이야.
시계처럼 인간의 거친 솜씨로
만들어진 게 아니야.

살아 있는 유기체가 작동하는 '물리학적인' 원리를 다음 세대의
과학자들이 꼭 찾아줄 거라 기대하며 이 강연을 마칠게.

내가 말한 단서들을 잘 연구해 봐.
통계물리학
고체, 분자
비주기적 결정
양자이론

10장

후기 그리고 미래의 생물학

그만큼 생명은 신비로운 존재거든.
생명

그중에서도 인간의 생각하는 능력은 정말 복잡한 구조로 되어 있지.

마지막으로 이 문제에 대해 얘기해 보려고 해.

지금까지의 논의를 통해 살아 있는 존재에서 일어나는 모든 활동은 완벽하진 않아도 최소한 통계 결정론적이라는 걸 알 수 있었어.
결정론

물에 잉크를 떨어뜨리면 어떤 모양으로 퍼질지는 몰라도 결국 다 퍼질 걸 알고 있듯이….

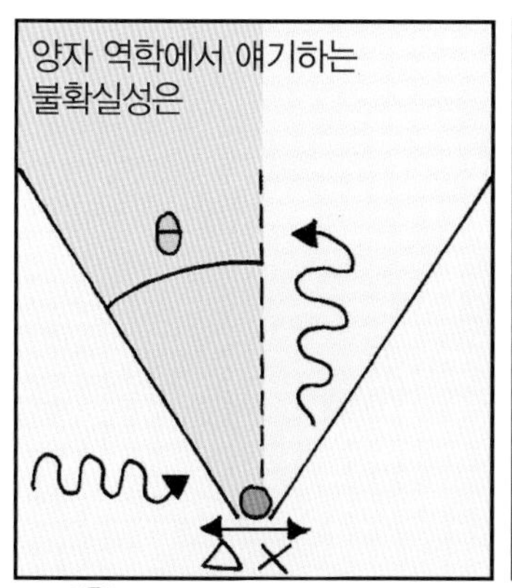
양자 역학에서 얘기하는 불확실성은
θ
Δx

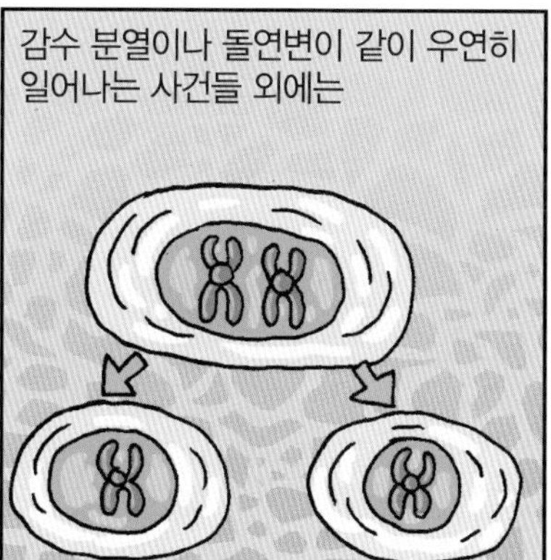
감수 분열이나 돌연변이 같이 우연히 일어나는 사건들 외에는

생물학에서 별 의미가 없다고 생각해.
쩝 쩝
불확실성 원리

요즘 양자론의 불확실성에 푹 빠져서

마치 세상의 온갖 일을 다 알 수 없는 것처럼 구는 물리학자들에게 꼭 강조하고 싶군.
불확실성

쫙
인정 못 해!
불확
실성

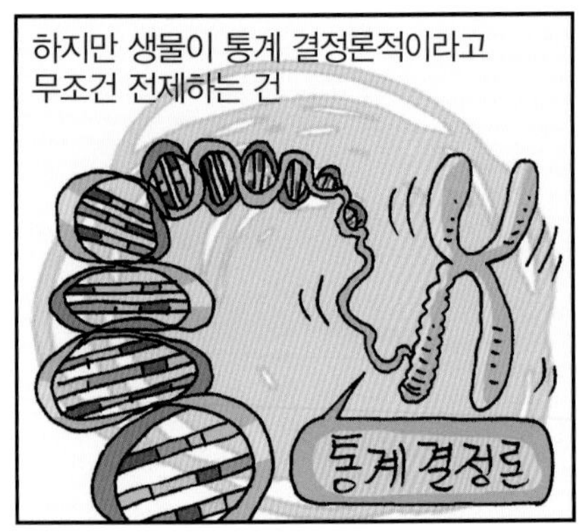
하지만 생물이 통계 결정론적이라고
무조건 전제하는 건
통계결정론

'자신을 기계라고 선언하는 일'과 같아.
나는 정해진 대로만 하는 기계가
아니야. 내 맘대로 할 거야!
중2

기분이 좋지 않더라도 잠시 마음을
가라앉히고 일단 따라와 보면 좋겠어.

자, 다음의 두 전제로부터 모순되지 않으면서 옳은 결론을 이끌어낼 수
있을지 생각해 보자.
나는 기계다.
나는 기계가
아니다.

첫째, 내 몸은 자연법칙에 따르는 순수한 기계로서
작동한다.
위잉..
철컥

둘째, 그러나 나는 '결과를 예상하면서 내 몸이 운동하도록
지휘하고, 그 운동 효과에 대해 스스로 책임을 느끼고
인정한다.'는 것을 안다.
저기로 던져!

직접, 매일, 매 순간
경험하고 있지요.
딱.

두 전제에서 추론할 수 있는
단 하나의 결론은

'나'는 자연법칙에 따라서 '원자들의 운동'을 통제하는 당사자라는 점이야.
내가?
분부 받겠사옵니다.

아니 이게 무슨
불경스러운 소린가!
그럼 우리가
신이라고?
도대체 무슨 의도로
하는 말이오!

단도직입적인 나의 결론에 반대하는
종교인들도 많을 거야.
결론

하지만 어쩌면….

내가 내린 결론이 신과 불멸을 증명해 줄 논증의
출발이 될지도 모르지.
불멸

내 결론 자체는 새로운 것이 아니야.
불멸성!

2,500년 전에도 나와 비슷한 생각을 한 사람들이 있었어.
인도

고대 인도의 철학 경전인 《우파니샤드》에서는
산스크리트어로 '가까이 앉음'이란 뜻이야. 스승의 발 아래에 가까이 앉아 직접 전수받는 신비한 지식이라고 해석하기도 해.
베단타(vedanta)라고도 불러.

세상을 이해하고 통찰하는 핵심 사상을 다음과 같이 말했지.
아트만이 브라만이다.

아트만은 개인적 자아를 말하고
브라만은 모든 곳에 있고 모든 것을 아는 영원한 자아를 말해.

베단타 학자들은 평생을 이 사상을 깨우치는 데 매진했어.

뿐만 아니라 어느 시대에나 있었던 신비주의자들은 자신들의 특별한 경험들을

이렇게 요약했지.
나는 신이 되었다.

이 사상은 쇼펜하우어의 생각에서도 엿볼 수 있고,
신이 대수냐!
헐~

진짜 사랑하는 연인들에게서도 발견할 수 있어.
눈만 봐도 무슨 생각하는지 알 수 있어.
우리는 하나!

연인들은 대개 감성에 치우쳐 논리적으로 사고하지 못할 때가 많지만….
논리
감성

신체의 움직임을 계획하고 조종할 수 있다는 건, 내 정신이 의식한다는 거야.

의식은 단수로만 경험되지.

정신분열이나 다중인격인 사람도 있잖아요?
N

그 경우에도 두 인격이 동시에 나타나는 것이 아니라 교대로 나타나거든.
내가 먼저야.
다음은 나.

꿈 속에서 나는 동시에 여러 인물을 연기할 때가 있지만

그 경우에도 나는 여러 인물 중 하나의 인물로 행동하고 또 다른 인물의 반응을 기다리는 거야.

다만 꿈속에 나오는 모든 인물의 말과 행동을 조종하는 것이 나 자신이라는 사실을 의식하지 못할 뿐이지.

프로이트(Sigmund Freud, 1856~1939)

'아트만이 곧 브라만'이라는 생각에 쉽게 따르지 못하는 이유는

'아트만', 즉 개인의 의식이 여러 개 존재한다는 생각 때문이야.

의식은 '몸'이라는 제한된 공간의 물리적 상태와 직접 연결되어 있지.

인간은 신체가 발달하면서 정신도 변하잖아.

중독, 마약, 뇌손상에 의한 장애 역시 그 증거지.

그래서 '의식', 즉 정신은 몸에 따라 달라지고 여러 개라는 가설이 생긴 거야.

한 배에서 나왔는데도 어쩜 저렇게 다를까?
이랴!
조용히 해.

이 가설은 매우 그럴 듯해서 대다수의 사람들과 철학자들이 받아들이고 있지.
다중 의식

당연한 말 같은데 이게 가설이에요?

증명되지 않았으니 가설이지.

존재하는 몸의 수만큼 많은 영혼들이 있다는 생각은

이런 질문을 하게 만들었지.
영혼도 몸처럼 소멸하는가, 아니면 독자적으로 존재하고 불멸하는가?
?
소멸
불멸

영혼이 소멸한다는 생각은 탐탁지 않고,
아냐!
소멸

영혼이 불멸한다는 생각은 그것이 몸에 기반한다는 전제를 무시한 셈이 돼.
불멸

그 밖에도 영혼에 관한 다른 질문들도 끊임없이 이어졌어.
동물들도 영혼이 있을까?
냥

남자만 영혼을 가지는가,
여자만 영혼을 가지는가?

정말 멍청하기 짝이 없는 질문이군.

저마다 영혼이 있다는 가설은 서양의 모든 공식적인 종교에서 기본 전제로 삼고 있어.
누군가의 영혼은 천국에 가고, 누군가의 영혼은 지옥에 가잖아.
구원받는 영혼이 따로 있지.
구교
신교

종교를 미신이라고 여기는 사람들도 영혼이 여러 개라고 생각한 적이 있을걸?
배고픈데 어서 먹어.
안 돼 참아야 돼!
꼬르르륵

솔직히 말해 봐!
빵
끄덕

정말 영혼이 여러 개라면 영혼이 각각의 몸과 함께 소멸한다고 선언하기도 어렵겠지.
죽으면 영혼이 사라져?
영혼 결혼식이라도 하고 싶은데….
노총각

유일한 대안은 경험으로 돌아가는 거야.
경 험

거울의 방에 가면 이와 비슷한 경험을 할 수 있어.

내가 지각하는 건 그 이미지이지요.

만일 당신이 내 곁에 서서 함께 본다면 당신 역시 나무가 던진
이미지를 보게 되겠죠.

나는 나의 나무를, 당신은 당신의 나무를
보고 있지만

우리는 결국 나무 그 자체가 무엇인지는 모르는 겁니다.
보는 사람마다
의견이 다를 테니….
자, 이제 그만!

명백히 존재하는 한 그루의 나무가 있는데
이미지를 말하는 이 얘기야말로 해괴한
허깨비라고 할 수 있지.

물론 우리 각자는 자신의 경험과
기억을 통해
경험
기억

어느 누구와도 다른 자신만의
분명한 느낌을 가지고 있어.
경험
기억

우리는 그것을 '나'라고 부르지.
과연 '나'는 무엇일까?
나!

'나'를 세밀히 분석하면

'나'는 각종 경험과 기억들을 모아 놓은 바탕이라는
걸 발견할 수 있을 거야.
기억
저장소
기억
기억
기억
기억
기억
기억
기억
기억
기억

이사를 가서 새로운 친구들을 만나게 되면 이내 옛 친구들과의 기억은 희미해지잖아?

중년이 되어 사춘기 때 썼던 일기를 보면서 젊은이였던 나와 만난다면

과거와 현재가 특별히 단절된 것도 아닌데, 과거의 내가 소설 속 주인공보다도 낯설게 느껴질지도 모르지.

만약 최면술사가 나의 옛 기억을 지웠다거나 내가 사고로 기억상실증에 걸렸다고 해도 내 자신이 죽었다고 생각하진 않을 거야.

내 경험과 기억에 어떤 일이 일어나더라도 내 존재 자체가 없어지진 않아.

하지만 바탕이 되는 '나'라는 존재가 사라진다면, 내 경험과 기억 역시 사라지겠지.

이 관점은 헉슬리가 '영원의 철학'이라고 부른 것과 같아.

헉슬리 (Aldous Huxley, 1894~1963)

'영원의 철학'은 모든 종교와 영적인 사상의 기본 교리는 하나라는 개념이지.

헉슬리가 하나의 우주 진리에 이르는 길이 다양한 종교로 나타났다고 보는 것처럼

나는 하나의 의식이 가진 다양한 측면이 나타난다고 볼 수 있지.

헉슬리는 책에서 이 단순한 의견이 왜 그토록 어렵게 느껴지고
영적인 사상
?

많은 반론에 직면하는지에 대해 매우 훌륭하게 설명하고 있으니까

관심 있으면 찾아보렴.
인터넷으로 찾아볼 수도 있어.

끝!
하고 싶은 얘기 다 했어.

끝?
끝이라고?

어떻게 정리해야 하지?

통계 결정론은 인간 의식과 무슨 상관이 있는 거야?

자자, 진정들 하라고.
얘기 좀 잘해 줘.

이 후기는 강연 내용을 정리하면서 마지막에 나온 내용인데, 당시 종교를 비판하면서 신비주의를 편들어서 많은 비판을 받았어.
고대 인도 철학이 과학적이냐?
에라이!

원래 이 책은 더블린의 유명 출판사가 출간하려고 했었는데 이 후기를 보고 취소하는 바람에 케임브리지 대학 출판부에서 나오게 되었지.
신을 모독하는 이런 불경한 책을 내는 건 수치요!
그래도 강연 내용은 훌륭하니까….
○○출판사
케임브리지

그는 명철한 과학적 사고로 어떻게든 생명의 모든 것을 설명하려고 했지.

슈뢰딩거가 '생명이란 무엇인가?'란 질문을 세상에 던진 이래로 70여 년 동안 생물학은 눈부시게 발전했어.

가장 중요한 이정표는 바로 '인간 게놈 프로젝트(Human Genome project)'야.

세균, 미생물, 초파리 등 작은 생물들부터 연구해 보고 인간을 연구하자.

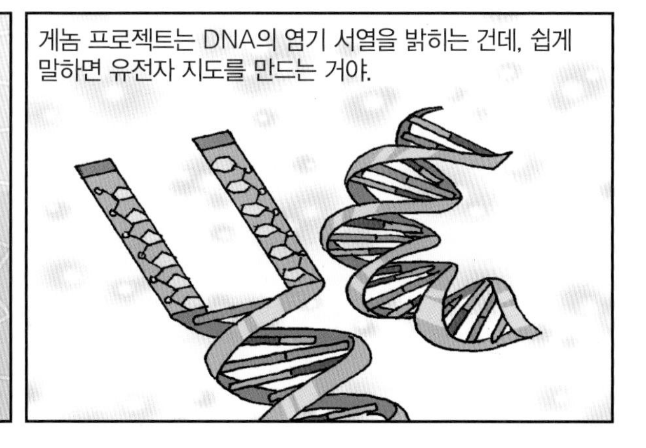

금발 유전자는
몇 번 염색체의
어느 부분에 있을까?
암 발생과
관련된 유전자는
어디에 있을까?

게놈 프로젝트가 성공적으로 진행되면서 생물학을
응용한 생명 공학 연구도 활발해졌지.

70년 전에는 DNA가 어떤
물질인지조차 몰랐는데
DNA?
먹는 건가?

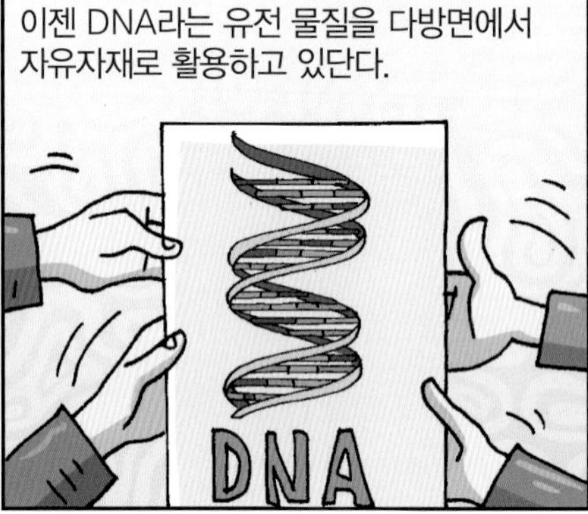
이젠 DNA라는 유전 물질을 다방면에서
자유자재로 활용하고 있단다.
DNA

생명 공학 기술이 응용되고 있는
분야도 많아.
생명 공학

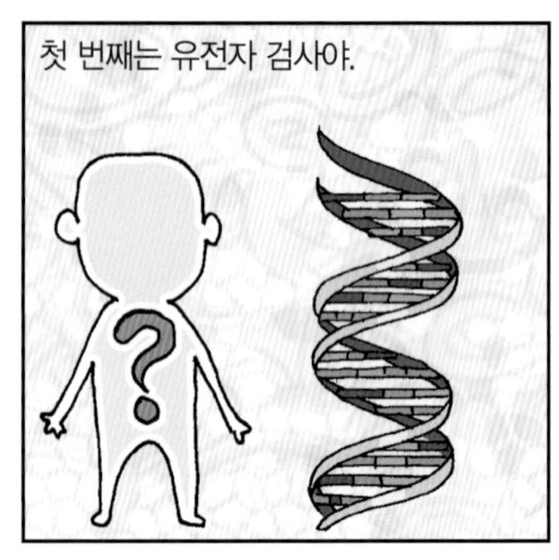
첫 번째는 유전자 검사야.
?

드라마에서 많이 나오는 친자 확인이 대표적이지.
10년 간 키운 내 딸이 내 딸이 아니라니….

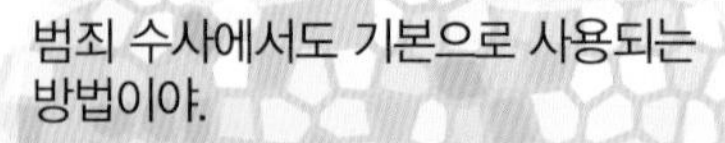
범죄 수사에서도 기본으로 사용되는
방법이야.

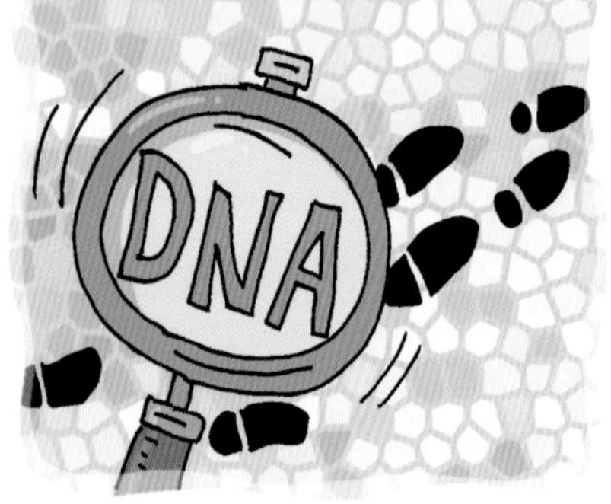
DNA

머리카락이나 피부 각질, 체액 한 방울만 채취해도 범인이 누군지 알 수 있어.

또한 오래되었거나 심하게 훼손된 유해들에 유전자 검사를 실시하면 진짜 가족을 찾을 수 있어.

하지만 유전자 정보는 아주 중요한 개인 정보이기 때문에 주인의 허락을 받지 않고 수집하고 관리하는 것에 대한 논란도 생기고 있어.

유전자 검사 기술이 발전할수록 알 수 있는 항목이 많아지면서 생기는 문제점도 많아.

어떤 병을 앓을 확률이나 정서적 결함에 관련된 유전자, 혹은 지능이나 학습 능력과 관련된 유전자를 조사해

미리 사람의 잠재력을 판단하고 사회생활을 제한한다면, 그건 부당한 일이잖아?

그 유전자가 작동할지 잘 모를 뿐 아니라

환경이나 개인의 노력으로 사람의 능력은 얼마든지 달라질 수 있잖아.

두 번째는 유전자 재조합 기술이야.

어떤 생물체의 유용한 유전자를 잘라내서 다른 생물체에 끼워 넣는 기술이지.

이를 테면 해충에 잘 견디는 유전자를
농작물에 넣는다거나
투입!

농약을 분해하는 유전자를 작물에 넣는 거야.
농약을 쳐도 작물은 안 죽고,
주변 잡초만 죽일 수 있죠.
치익-

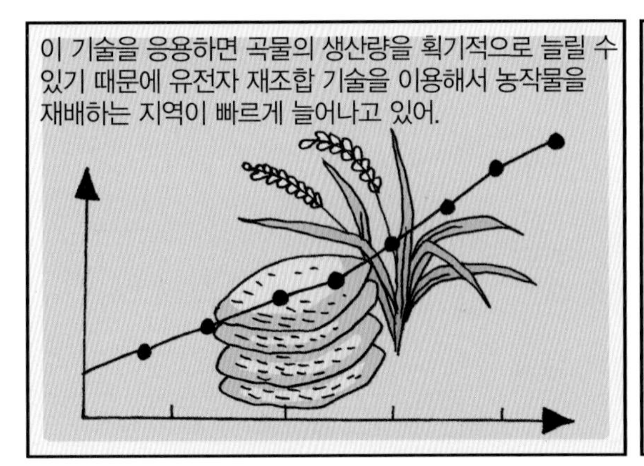
이 기술을 응용하면 곡물의 생산량을 획기적으로 늘릴 수 있기 때문에 유전자 재조합 기술을 이용해서 농작물을 재배하는 지역이 빠르게 늘어나고 있어.

이외에도 비타민A 성분을 함유한 쌀이나 노화를 억제하는 작물도 개발되고 있어.
H3C
CH3
H3C
H3C
CH
CH3

식물뿐만이 아니야.

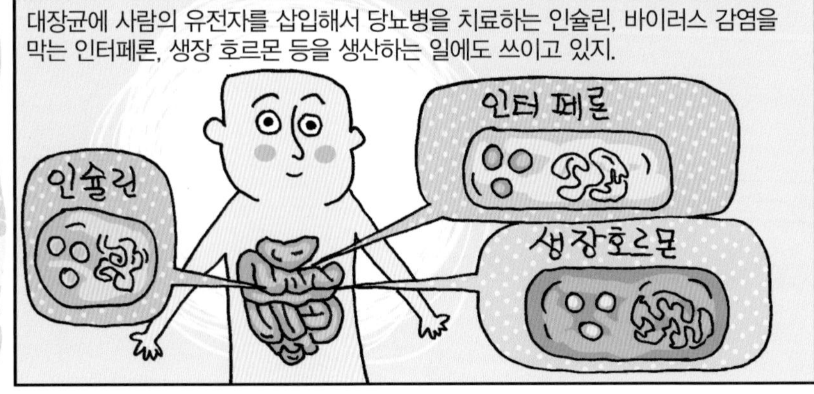
대장균에 사람의 유전자를 삽입해서 당뇨병을 치료하는 인슐린, 바이러스 감염을 막는 인터페론, 생장 호르몬 등을 생산하는 일에도 쓰이고 있지.
인터페론
인슐린
생장호르몬

유전자를 재조합하지 않고 특정 유전자를 그대로 주입하는 방식으로 사람의 초유 성분을 생산하는 젖소, 빈혈 치료제를 생산하는 돼지도 개발하고 있단다.
빈혈치료제
초유

이 기술의 문제점은 재조합하거나 주입한 DNA의 안정성에 논란이 있다는 거야.
안정

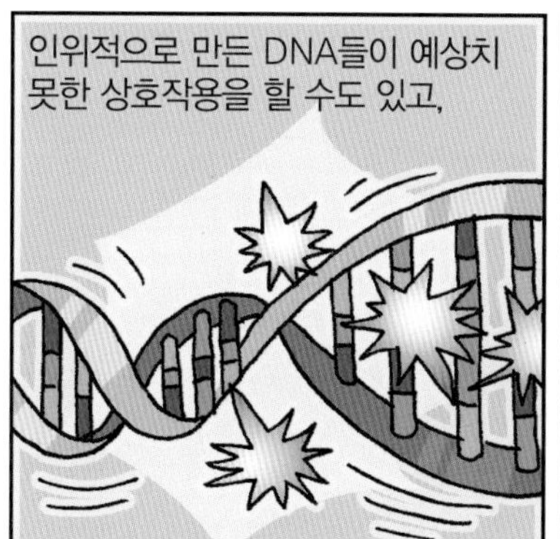
인위적으로 만든 DNA들이 예상치 못한 상호작용을 할 수도 있고,

주변 식물들로 퍼져 생태계를 교란시킬 수도 있어.
난 독한 농약에도 죽지 않는 슈퍼 잡초다!

인위적으로 만든 DNA가 인체에 해롭다는 증거는 없지만 안전하다는 증거도 없지.
?

세대를 거듭할수록 생물은 변하고 진화하니까 어느 쪽으로든 단정하기는 어려워.

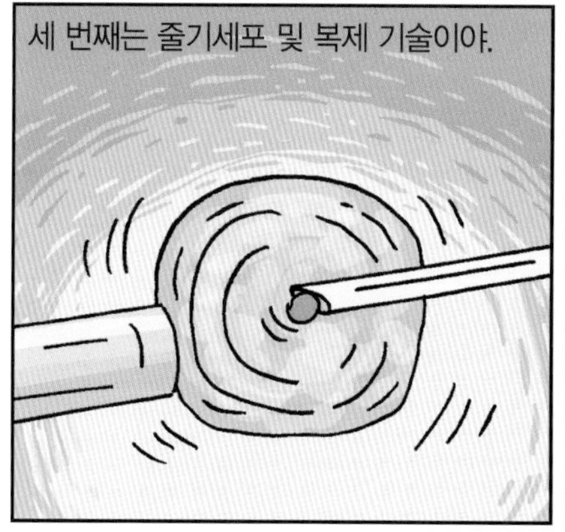
세 번째는 줄기세포 및 복제 기술이야.

1997년 영국에서 세계를 떠들썩하게 만든 사건이 있었지.

다 자란 포유류의 몸에 있는 세포를 떼어 내어 세계 최초로 유전자가 똑같은 존재를 하나 더 만든 거야.

머리카락이나 손톱만 있어도 복제할 수 있어.

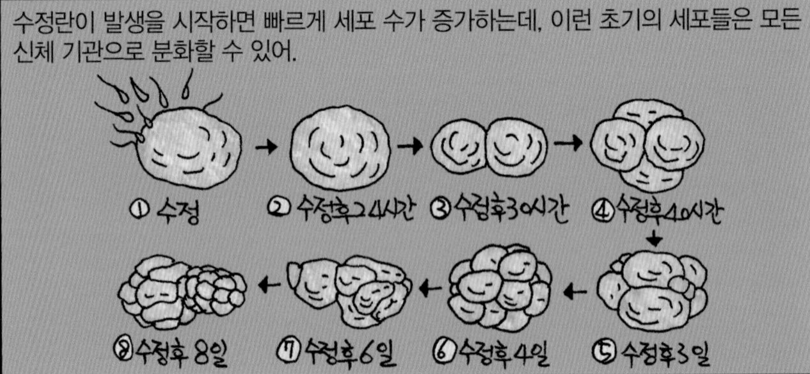

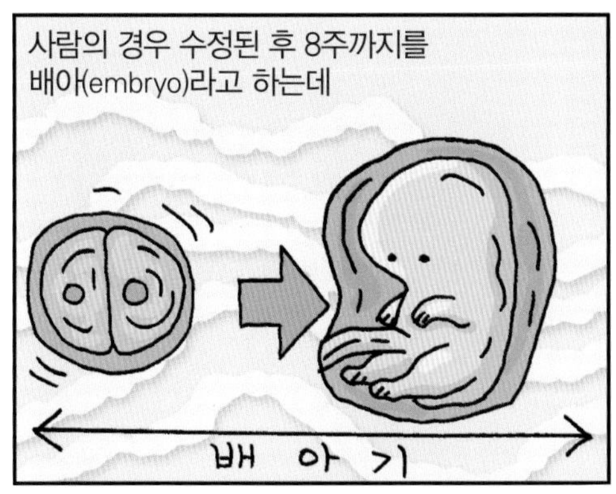
사람의 경우 수정된 후 8주까지를
배아(embryo)라고 하는데
배 아 기

그 때쯤이면 주요 조직과 기관이 모두 형성되거든.
이때부터 태어날 때까지를
'태아'라고 부르지.

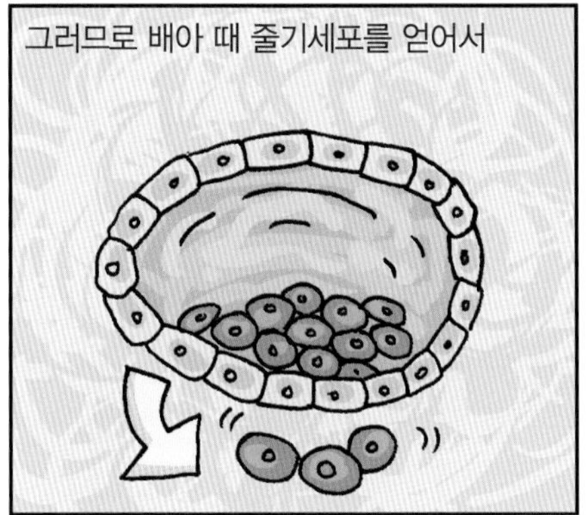
그러므로 배아 때 줄기세포를 얻어서

유전자 발현 과정이나 장기 분화 등을 연구하면 각종 난치병의 치료
방법을 찾을 수 있어.

줄기세포를 이용해 손상된 장기를
복원한다거나
뇌
뼈
심장
간

각종 유전병을 근원적으로 치료할 수 있는 길이 열린 거야.

발달이 끝난 어른에게도 줄기세포가
있어.
정말?

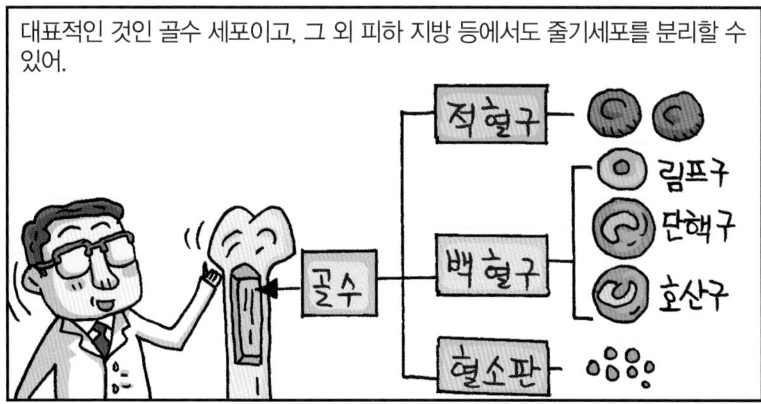
대표적인 것인 골수 세포이고, 그 외 피하 지방 등에서도 줄기세포를 분리할 수
있어.
적혈구
림프구
단핵구
호산구
백혈구
골수
혈소판

하지만 어른에게서 얻은 줄기세포는 분리하고
증식시키기가 어려워서

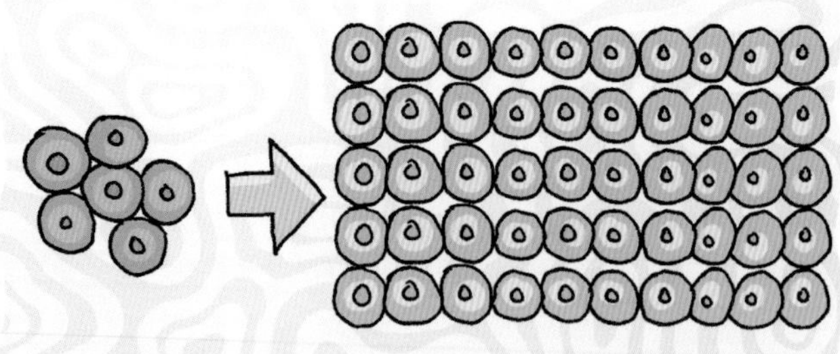
많은 논란이 있음에도 배아 줄기세포를 포기하지 못하고 있지.

이를 테면 수정란을 발생시켜 만든 배아를 연구 재료로 쓴다고 하자.
줄기세포를 얻는 과정에서
배아는 파괴돼.

만약 배아가 자궁에서 계속 자라면 사람이 될 수
있는 거잖아.

여기서 문제가 생기게 되지.
배아를 연구하는 것이
생명을 죽이는 것 아닐까?
배아

배아는 생명체일까?
배아도 한 인간이라고 봐야 할까?

더군다나 체세포의 핵을 이식해서 생성된 복제
배아를 계속 키우면 복제 인간이 탄생할 수도
있잖아.

더 나아가 배아 단계에서 유전자를 조작해 맞춤형 아기가 탄생할
수도 있어.
엄마
아빠
맞춤형 아기

만약 내가 누군가를 치료하기 위해 만들어진 복제 인간이라는 걸 알게 된다면 기분이 어떨까?

나는 누구인가?

결국 70년 전 슈뢰딩거가 던진 질문이 부메랑처럼 우리에게 되돌아 온 거야.
빡!
휘익~

생명이란 무엇인가?
인간 의지란 무엇인가?
나는 무엇인가?

만약 슈뢰딩거가 살아 있었다면 현대 생명 공학을 보고 뭐라고 얘기했을까?
나? 나 얘기하는 거 좋아하는데….
?

대중이 첨단과학의 발전을 누리고 살아가는 만큼 과학은 더 이상 과학자의 문제라고만 할 수는 없어.
첨단과학

그러니 질문을 하고 그 질문에 대해 생각하고, 또 생각해야 해.
생각

나는 생각할 수 있는 생명, 그 자체니까!

생명 과학을 이해하기 위한 기초 개념

물리학자였던 슈뢰딩거는 '생명이란 무엇인가?'라는 질문에 모든 물질을 구성하는 기본 입자인 원자에서 답을 찾으려고 했어요. 슈뢰딩거의 생명 과학을 이해하는 데 필요한 중요한 개념을 정리해 볼까요?

1. 원자

물질을 구성하는 기본 입자예요. 우주에는 약 100종류의 원자가 있답니다. 생물체도 무수히 많은 원자들로 이루어져 있고요. 생명을 구성하는 주요 원소는 탄소(C), 산소(O), 수소(H), 질소(N), 인(P), 황(S)이에요. 그 외 나트륨, 칼슘, 철 등 수많은 원소들이 생명 현상에 참여하고 있어요.

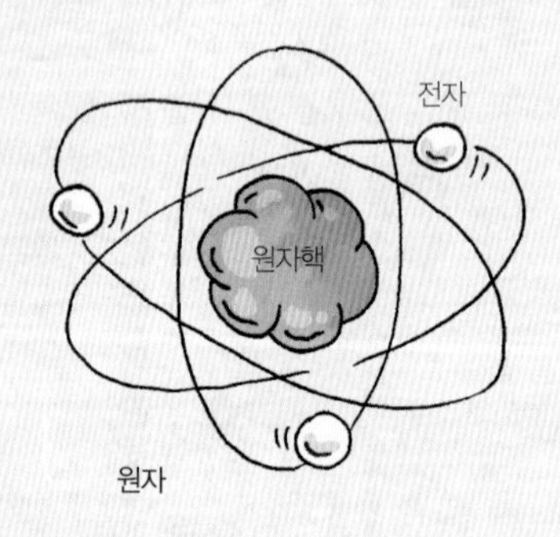

원자

2. 분자

원자들이 결합하여 독특한 특징을 갖게 된 입자가 분자예요. 물은 생물체를 구성하는 물질 중 가장 많이 분포해 있고, 가장 단순한 구조를 가진 것인데, 수소 원자 2개와 산소 원자 1개가 결합한 물 분자는 수소, 산소와 전혀 다른 특징을 가지고 있어요.

물 다음으로 많은 물질이 단백질이에요. 단백질은 20종류의 아미노산 분자가 수백 개씩 연결된 사슬이 복잡하게 꼬여 있는 거대 분자예요. 또한 생물에서 가장 중요한 분자는 포도당($C_6H_{12}O_6$)이라고 할 수 있어요. 포도당은 식물이 이산화탄소와 물을 재료로 광합성을 해서 만든 유기물로, 탄소 원자 6개, 수소 원자 12개, 산소 원자 6개가 결합되어 있지요.

포도당이 길게 연결된 사슬 모양의 거대분자가 바로 탄수화물이에요. 이 외에도 지방, 핵산(DNA) 등의 거대 분자들이 우리 몸을 구성하고 있답니다.

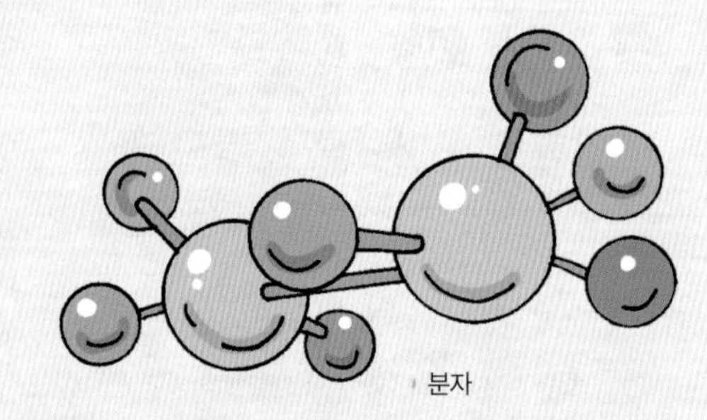
분자

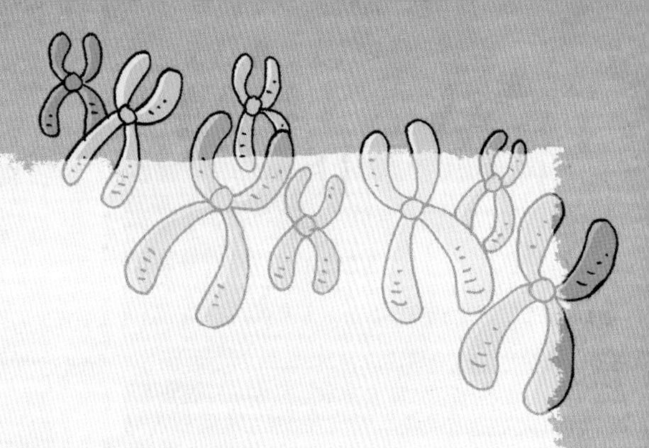

3. 열역학

물리학에서 가장 기본이 되는 것이 바로 '열역학'이에요. 우주에 존재하는 모든 원자들이 끊임없이 진동하며 움직이는 운동, 즉 열운동을 하기 때문이지요. 이러한 열운동과 열의 속성을 설명해 주는 것이 열역학이랍니다.

열역학 제1법칙은 '에너지는 다른 종류의 에너지로 변할 수 있으며, 이때 에너지는 생성되거나 소멸되지 않는다'예요. 흔히 에너지 보존 법칙이라고 하지요.

열역학 제2법칙은 '에너지는 엔트로피가 증가하는 방향으로만 변화한다'예요. 예를 들어 따끈한 고구마를 추운 방 안에 두었다고 해볼까요? 고구마의 열에너지가 공기 중으로 흩어지면서 고구마는 식겠죠. 그렇다고 방 안 공기의 에너지가 고구마로 전해져 고구마는 점점 뜨거워지고, 공기는 차가워지는 일은 없을 거예요. 이처럼 에너지는 무질서도가 높아지는 쪽으로 변화한답니다.

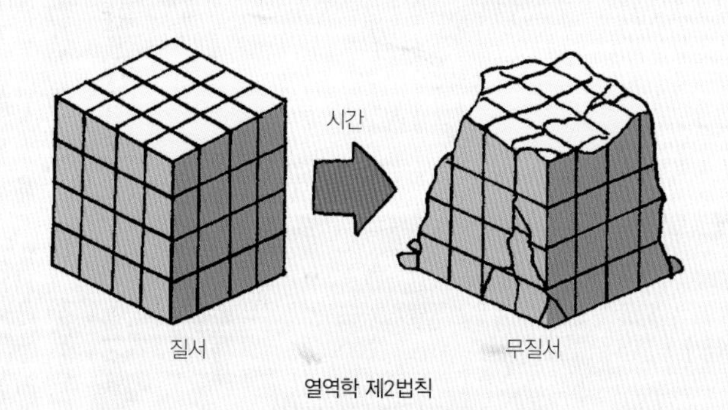

열역학 제2법칙

'생명이란 무엇인가?'에 나오는 과학적 오류들

슈뢰딩거의 《생명이란 무엇인가?》는 과학사의 고전으로 지금까지 많은 사랑을 받는 책이지만, 실제로는 과학적 오류가 많은 책이기도 해요. 책에서 나온 과학적 오류들에 어떤 것이 있는지 정리해 볼까요?

인간의 염색체는 48개다?

인간의 염색체는 23쌍, 46개랍니다. 22쌍은 남녀 공통으로 가진 상염색체이고, 1쌍은 남녀가 다른 성염색체예요. 인간의 염색체가 46개라는 사실은 슈뢰딩거가 강의한 지 13년이 지나서야 밝혀졌어요.

유전 물질은 단백질일 것이다?

당시 대다수의 과학자들이 유전 물질은 단백질일 거라고 믿었어요. 단백질은 20종류의 아미노산 분자가 수백 개씩 결합된 거대 분자라서 우리 몸속에 아주 많은 종류가 있답니다. 머리카락과 근육, 아밀라아제와 같은 소화액, 인슐린 등의 호르몬, 각종 효소들 모두 단백질이에요.

하지만 바로 이듬해인 1944년 미국의 세균학자 에이버리가 '유전 물질은 핵산(DNA)'이라고 주장하는 논문을 발표하고, 1953년 왓슨과 크릭이 DNA의 안정된 이중나선 구조를 밝혀내면서 유전 물질은 DNA라는 것이 확실해졌지요.

자연적 돌연변이는 열운동이 우연하게 요동치면서 일어난다?

열운동은 자연적 돌연변이가 일어나는 원인 중 하나일 뿐이에요. 물론 생명의 진화가 35억 년 동안이나 진행되었으니 슈뢰딩거의 말처럼 열운동으로 자연적 돌연변이가 일어날 가능성도 충분히 있어요. 하지만 사람의 체온 정도로 낮은 온도에서 열운동으로 돌연변이가 생기기란 정말 어렵고 드물어요. 돌연변이는 세포가 분열하는 과정에서 가장 자주 일어나요. DNA를 복제할 경우, 염색체가 분리될 때 양쪽으로 분리되지 않고 한쪽으로 쏠리는 경우, 먹은 음식 속에 들어 있는 화학 물질과 햇빛에 있는 자외선도 자연적 돌연변이의 원인이랍니다.

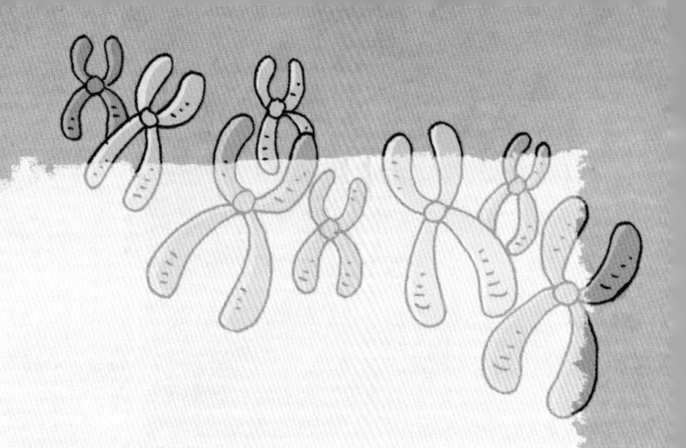

우리는 에너지를 얻기 위해서 먹는다?

1930년대 후반, 독일의 생화학자 루돌프 쇤하이머는 방사성 원자를 포함한 단백질을 쥐에게 먹이고 아미노산 분자들의 위치를 추적했어요. 그 결과 놀랍게도 아미노산 분자들의 절반은 배설되었지만 절반은 온몸 구석구석에 퍼져 있다는 걸 알게 됐어요. 마치 기계의 부품을 교체하듯 세포를 구성하고 있던 원자나 분자가 교체된 것이지요. 이 실험은 에너지는 신체 활동에 필요한 운동에너지와 끊임없이 방출하는 열로 사용되고 남은 것은 배설된다는 당시 일반적인 생각을 뒤엎은 결과였어요.

밥이나 빵에 들어 있는 탄수화물은 대부분 에너지를 만드는 데 사용되지만 일부는 몸속에 자리 잡아요. 피부는 6주, 혈액은 4개월이면 새로운 세포들로 모두 바뀌고 뼈는 그보다 더 긴 시간이 필요하죠. 하지만 1년 정도면 우리 몸의 98%는 새로운 원자들로 교체돼요. 결국 우리가 먹는 것이 우리 몸이 되는 셈이지요.

생물체는 환경으로부터 질서를 빨아들인다?

열역학 제2법칙에 의하면 모든 시스템은 시간이 지날수록 분해되고 흩어지고 무질서해져야 해요. 하지만 생물체는 시간이 지날수록 성장하고 물질대사를 하며 고도로 정교하게 조직된 몸을 유지하고 있죠. 이 사실은 물리학자인 슈뢰딩거에게 가장 큰 수수께끼였을 거예요. 여기에 슈뢰딩거는 음의 엔트로피라는 개념을 가설로 제시해 수수께끼를 풀려고 했죠.

그의 주장은 다른 과학자들의 비판을 받았지만, 한편에서는 그가 주목한 수수께끼의 해답을 구하려는 시도들이 있었어요. 그중 대표적인 이론이 1970년대 전후 '카오스 이론'으로 등장해서 현재 이론 물리학의 중요한 분야 중 하나로 발전한 '복잡계 이론'이에요. '복잡계'는 각 구성 요소들이 상호작용하면서 예상하지 못한 결과를 만드는 현상을 다뤄요.

이 개념은 다양하게 해석되고 응용되어서 현재는 물리학뿐만 아니라 생물학, 심리학, 사회과학에까지 확장되어 활용되고 있어요.

유전자의 발견 역사

1. 유전 물질의 발견

유전 물질을 잘 모르던 시기에 사람들은 유전 물질이 액체라고 생각했어요. 빨간색 물감과 파란색 물감이 섞이듯 엄마와 아빠의 특징이 담긴 물질이 섞여서 자녀의 특징이 나타난다고 믿었어요. 그러나 이것으로는 설명할 수 없는 부분이 있었어요. 자식이 부모 중 한쪽만 닮은 경우였죠. 부모 중 한 사람이 혈우병일 때 자녀는 혈우병이거나 아니거나 둘 중 하나이지 그 중간은 없었기 때문이에요.

오스카 헤르트비히

17세기에 현미경이 등장하면서 세포의 존재를 알게 된 과학자들은 본격적으로 유전 물질을 찾기 시작했어요. 1876년 오스카 헤르트비히(Oskar Hertwig)는 현미경으로 성게 알의 수정 과정을 관찰하다가 난자의 핵과 정자의 핵이 만나 발생이 일어난다는 것을 알게 되었어요. '유전 물질이 핵 속에 들어있는 게 아닐까?'라는 생각이 싹트는 순간이었죠. 이즈음 여러 생물학자들이 세포 분열 과정에서 동그랗고 거대한 핵이 풀어져 몇 개의 막대기 모양, 즉 염색체로 뭉친다는 것을 알게 됐어요. 세포가 분열할 때 염색체들이 나눠지는 것도 관찰할 수 있었죠.

1880년대 후반 스위스의 생화학자 요한 프리드리히 미셰르(Johann Friedrich Miescher)가 세포 속에 존재하는 '핵산(nucleic acid)'을 발견했어요. 핵 속에 인(P), 질소(N)가 풍부하고 산성이라는 것을 알아낸 거예요. 핵산을 구성하는 분자 구조도 잇따라 밝혀지면서 단백질이 유전 물질이라는 가설이 흔들리게 되었어요.

2. 유전 물질의 정체는 DNA

'유전 물질은 단백질일까, 핵산일까?'라는 물음에 해답을 준 사람은 캐나다 출신의 세균학자 오즈월드 에이버리(Oswald Avery)예요. 에이버리의 연구는 1928년 영국의 세균학자 그리피스의 폐렴구균 실험에서 비롯되었어요. 당시 그리피스는 폐렴구균을 실험을 하다 신기한 현상을 발견했어요. 폐

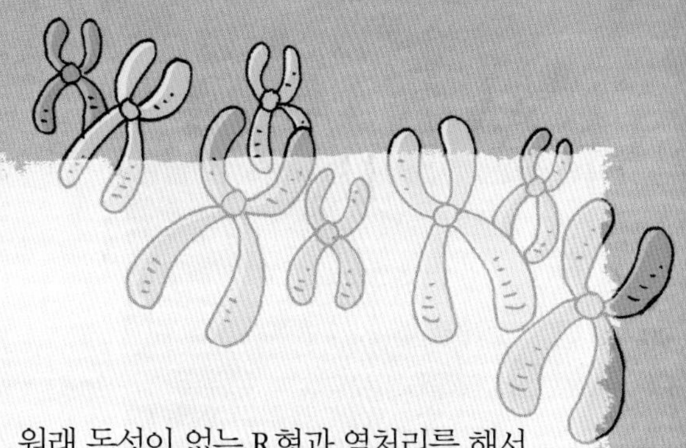

렴구균에는 독성이 없는 R형과 독성이 있는 S형이 있는데, 원래 독성이 없는 R형과 열처리를 해서 독성을 없앤 S형을 함께 넣으면 병에 걸리는 사실을 알아냈죠.

즉, S형의 형질은 S형이 파괴된 뒤에도 사라지지 않고 R형이 이것을 받아들여 변환된 거예요. 그리피스는 이를 형질전환이라 불렀어요.

이 결과에 흥미를 느낀 에이버리는 실험을 훨씬 정교하게 설계했어요. 그리고 열처리한 S형을 탄수화물, 단백질, DNA로 구분해서 R형 균에 투입했지요. 결과는 놀라웠어요. 단백질이 아닌 디옥시리보핵산, 즉 DNA가 형질변환의 원인이라는 것이 밝혀졌어요. 에이버리는 1944년에 공동연구자들과 함께 논문을 발표했답니다.

3. 유전 물질의 구조

1950년 미국의 생화학자 어윈 샤가프(Erwin Chargaff)는 DNA 속에 있는 아데닌(A)과 티민(T)의 양이 같고, 사이토신(C)과 구아닌(G)의 양이 같다는 것을 발견했어요. 이는 DNA가 이중 구조라는 단서이기도 했지요. 1952년 왓슨과 크릭은 우연히 샤가프를 만나 그 발견에 대해 설명을 들었어요. 당시 X선으로 단백질 분자를 촬영해 3차원 구조를 알아내는 연구가 활발히 진행되고 있었는데, 최고의 촬영기술을 가지고 있던 로잘린드 프랭클린이 선명한 DNA 사진을 찍었던 참이었죠. 1953년에 이 사진을 본 왓슨과 크릭은 마침내 'DNA의 이중 나선 구조'를 증명하는 역사적인 논문을 발표했고, 유전 물질의 구조를 세계 최초로 밝혔어요.

4. DNA의 구조

DNA(Deoxyribonucleic Acid)는 뉴클레오타이드 분자가 길게 연결된 사슬 두 가닥이 꽈배기처럼 꼬여 있는 구조예요. 세포분열을 하기 위해 DNA를 복제할 때는 결합이 끊어져서 마치 지퍼가 열리듯이 벌어져요. 복제가 끝나면 DNA가 응축돼 만들어진 염색체가 두 개로 나뉘어 결합하는데, 바로 이것이 우리가 떠올리는 X자 모양의 염색체랍니다.

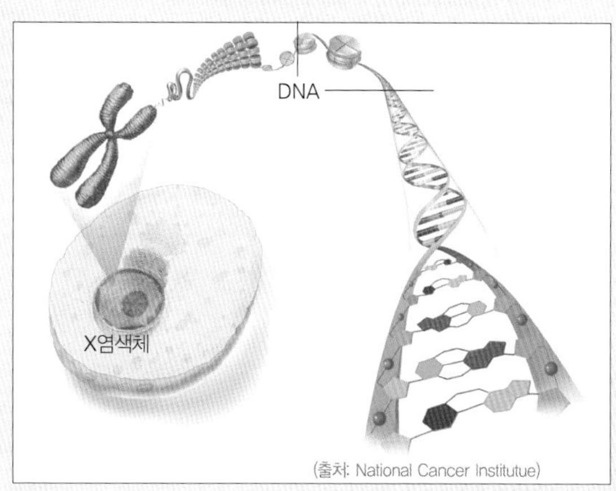

DNA 구조

토머스 모건의 초파리 실험

토머스 모건은 현대 과학을 논하면서 빠질 수 없는 유전자를 본격적으로 다룬 학자예요. 그에 대해 궁금한 점들을 질문으로 모아 봤어요.

1. 토머스 모건은 어떤 사람이에요?

토머스 모건(Thomas Hunt Morgan)은 1866년 미국에서 태어난 생물학자예요. 그는 '아무리 위대한 아이디어와 가설이라도 실험해서 증거를 뒷받침하지 않으면 가치가 없다'고 생각하며, 실험으로 증명할 수 있는 이론을 진정한 과학 이론이라고 여겼어요.

토머스 모건

모건은 30대 중반에 컬럼비아 대학교에 교수로 부임한 후 쥐를 포함해 진딧물, 개구리, 지렁이 등 다양한 동물들로 유전을 연구했어요. 특히 초파리 실험으로 유전학 분야에서 뛰어난 연구 결과를 얻어 1933년에 노벨 생리의학상을 수상했답니다.

2. 왜 초파리를 실험 대상으로 사용했나요?

초파리는 음식물 쓰레기가 있는 주변에서 얼마든지 구할 수 있고, 상한 우유와 과일 조각만 있으면 백 마리도 거뜬히 키울 수 있어요. 한 번에 수백 개의 알을 낳아 번식력도 최고인 데다 한살이 기간이 2~3주밖에 되지 않아요. 그래서 매주 초파리를 수백 쌍 결혼시키고 수천만 마리를 번식시켜 실험 결과를 빨리 얻을 수 있다는 장점이 있지요.

1900년에 하버드대학교 실험실에서 초파리를 실험 동물로 사용하기 시작한 후 점차 많은 대학들이 초파리를 실험에 사용했답니다. 모건도 이 시기에 초파리 실험을 접하게 됐지요.

3. 초파리로 어떤 실험을 했나요?

모건은 처음에 초파리로 드 브리스의 돌연변이설을 검증하려고 했어요. 돌연변이로 등장한 새로운 형질이 자손에게 유전되는지 실험하려고 한 것이죠. 그러나 초파리를 냉장고나 오븐에 넣어 보

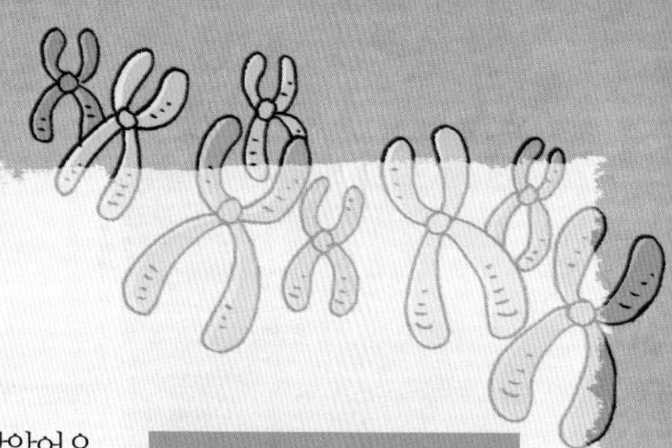

고, 산과 알칼리에도 노출시켜 봐도 돌연변이는 일어나지 않았어요.

초파리 실험을 한 지 3년, 모건도 연구에 지쳐갈 무렵이었어요. 모건의 눈에 이상한 게 눈에 띄었어요. 빨간 눈의 초파리들 사이에 하얀 눈의 초파리가 있는 게 아니겠어요? 멘델이 완두로 밝혔던 유전 법칙을 동물에서도 처음으로 확인한 거예요. 그와 함께 이상한 현상도 발견할 수 있었어요. 2세대에 등장한 하얀 눈 초파리가 모두 수컷이었던 거죠. 염색체가 유전과 연관되어 있다는 주장을 비판하던 자신의 원래 입장이 뒤집히는 결과였죠. 이후 모건은 눈 색깔 유전자는 성 염색체에 있다고 가정했어요.

초파리

실험 결과에 힘을 얻은 모건과 연구원들은 연구에 더 집중했어요. 실험실에서 더 많은 초파리도 키웠어요. 실험의 성과도 잇따라 나타났어요. 모건은 '미발달된 날개'를 가진 초파리는 대개 수컷이기 때문에 '하얀 눈' 유전자와 마찬가지로 X염색체 위에 있다고 추측했는데 두 유전자가 늘 함께 유전하지 않는다는 사실을 알아냈어요. 어떤 유전자들은 함께 이동하고, 어떤 유전자는 따로 이동한다는 것을 밝힌 것이죠.

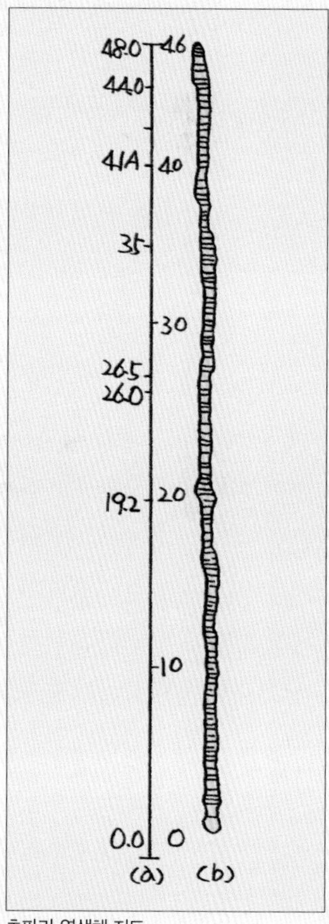

초파리 염색체 지도

연구 결과를 바탕으로 모건은 유전자는 염색체 위에 직선으로 배열되어 있고 각각의 유전자는 정해진 위치가 있다는 가설을 세웠어요. 그리고 최초로 X염색체 위에 유전자 지도를 작성했답니다.

이 사건은 유전학 역사에서 가장 놀라운 도약이었어요. 1915년에 이르러 초파리 4쌍의 염색체 위에 약 100여 개의 유전자가 표시된 지도가 만들어졌습니다.

슈뢰딩거 생명이란 무엇인가

신현정 글 | 박종호 그림

01 《생명이란 무엇인가》는 물리학 관점에서 생명에 대해 논한 책입니다. 이 책을 쓴 사람은 누구일까요?

① 멘델 ② 슈뢰딩거 ③ 아인슈타인
④ 다윈 ⑤ 델브뤼크

02 염색체와 관련된 설명으로 틀린 것은 무엇일까요?

① 염색체에는 개체의 유전적 정보가 담긴 암호문이 들어 있다.
② 사람의 체세포 염색체 수는 46개이다.
③ 체세포에 들어 있는 모양과 크기가 같은 염색체 쌍을 상동 염색체라고 한다.
④ 세포 분열을 할 때 염색체는 복제된다.
⑤ 우리 몸의 모든 체세포는 서로 다른 정보의 염색체를 지니고 있다.

03 아래와 같이 부모의 유전 형질 중 어떤 것은 나타나고 어떤 것은 나타나지 않는 이유는 무엇 때문일까요?

민서네 가족은 민서만 빼고 모두 쌍꺼풀이 있다. 민서는 왜 같은 염색체를 물려받았는데도, 동생은 쌍꺼풀이 있고 자신은 없는지 이해가 가지 않았다.

04 유전은 다음 세대로 전 세대의 유전적 정보가 이어지는 일입니다. 하지만 예외가 존재하기도 합니다. 네덜란드의 드 브리스는 달맞이꽃 연구에서 완벽하게 순종인 집단의 자손 중에서도 아주 드물게 뛰어넘기식 변이를 가진 개체가 발생한다는 것을 발견했습니다. 이처럼 중간 형태가 없이 불연속적으로 '유전의 예외'를 무엇이라고 할까요?

① 불연속 변이　② 브리스 변이　③ 돌연변이
④ 유전변이　⑤ 자연선택

05 양자 이론에 따르면, 원자 규모에서 원자들은 불연속성을 띄고 있으나 최저 에너지 준위일 때는 분자 구조를 형성하고 있습니다. 그런데 하나의 원자 집단은 꼭 한 가지 방식의 분자로만 결합하지 않고 하나 이상의 방식으로 결합하여 분자가 되기도 합니다. 이처럼 그 안에 들어 있는 원자는 같지만, 원자의 연결 방식이나 공간 배열이 동일하지 않은 화합물을 무엇이라고 할까요?

① 이성질체　② 이원자체　③ 이분자 구조
④ 쌍둥이 분자　⑤ 형제 분자

07 엔트로피 : 엔트로피가 증가한다는 것은 점점 무질서해진다는 의미입니다.

08 첫째, 유전 물질은 원자들로 구성된 분자이다. 둘째, 유전 물질을 구성하고 있는 원자들은 재배열할 수 있는데, 이때 필요한 에너지 문턱이 충분히 높아서 자발적 돌연변이와 같은 변화가 드물게 일어난다.
: 이 모델에 대해 다른 학자들이 유전의 변이에 영향을 미치는 요인은 아주 다양하다며 반박했습니다. 그래서 훗날 델브뤼크는 본인의 초기 모델을 수정했습니다.

09 ⑤

10 X선, 화학물질, 환경호르몬 등은 우리 염색체에 변이를 일으켜 돌연변이를 야기할 가능성이 크기 때문입니다.

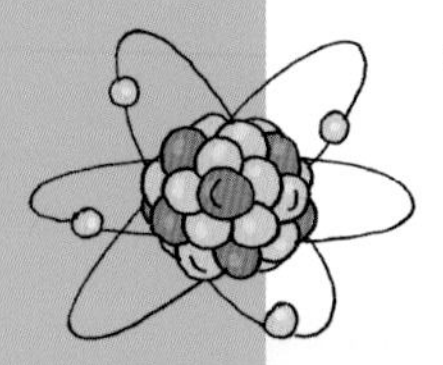

06 '멘델의 법칙'과 관련한 설명으로 틀린 것은 무엇일까요?

① 둥근 완두콩과 주름진 완두콩을 교배한 결과 다음 세대에서 모두 둥근 완두콩이 나왔다. 이것은 둥근 완두콩의 유전 인자가 주름진 완두콩보다 우성이기 때문이다.

② 둥근 완두콩끼리 교배하면 다음 세대에는 무조건 둥근 완두콩만 나온다.

③ 아무리 우수한 유전 인자의 둥근 완두콩이라도 부모 중에 주름진 완두콩이 있었다면 그 완두콩의 안에는 주름진 완두콩의 유전 인자가 있다.

④ 색깔과 형태라고 하는 두 가지 유전 인자가 있다면, 이 두 가지는 각각 서로에게 영향을 주지 않고 독립적으로 나타난다.

⑤ 멘델이 연구한 당시에는 둥근 완두콩과 주름진 완두콩의 중간 형태가 없는 것으로 생각되었는데, 후에 유전 인자가 중간 형태로 나타나는 경우도 있다는 것이 밝혀졌다.

07 열역학에서는 '사물은 자연적으로 무질서를 향해 가는 경향이 있다.'는 열역학 제2법칙이 있습니다. 이를 다른 말로 하면 '○○○○ 증가의 법칙'이라고도 하는데, 무엇일까요?

정답

01 ② / 02 ⑤

03 세포가 분열할 때, 감수 분열을 하여 염색체를 다음 세대로 전달하는데 이때 교차가 일어날 수 있기 때문입니다. : 염색체의 교차란, 감수 분열에서 서로 짝을 이루는 상동 염색체들이 특정한 구간에서 서로 유전자를 교환한 후 1차 생식 세포를 만드는 것입니다. 이렇게 만들어진 1차 생식 세포는 다시 감수 분열을 통하여 서로 다른 유전 형질을 갖는 2차 생식 세포가 됩니다. 이러한 염색체의 교차로 유전자는 다양해집니다.

04 ③ / 05 ① / 06 ②

08 슈뢰딩거가 처음 강연을 할 때 미국의 물리학자 델브뤼크 모델에 많은 영향을 받은 것으로 알려져 있습니다. 델브뤼크 모델은 유전물질을 두 가지로 전제하였는데요. 그것은 무엇일까요?

---

09 다음 중 슈뢰딩거가 생명의 특징과 관련해서 할 설명으로 적절하지 않은 것은 무엇일까요?

① 살아 있지 않은 물질은 '최대 엔트로피 상태'에 있다.

② 최종적인 열역학적 평형 상태에 다가가는 과정은 아주 느리게 진행되어 몇 시간, 몇 달, 몇 년이 걸릴 수 있다.

③ 유기체도 끊임없이 자신의 엔트로피를 증가시켜 최대 엔트로피 상태인 죽음을 향해 나아가고 있다고 할 수 있다.

④ 살아 있는 유기체가 이러한 평형 상태에서 벗어날 수 있는 건 물질대사를 하기 때문이다.

⑤ 물질대사의 핵심은 음식물에서 얻은 에너지를 몸속의 세포와 교환하는 데 있다.

10 요즘 우리 사회에서는 X선, 화학물질, 환경호르몬 등을 조심해야 한다는 목소리가 높습니다. 왜일까요?